ピュリツァー賞作家が明かす
ノンフィクションの技法

ジョン・マクフィー
栗原 泉［訳］

Draft No. 4
On the Writing Process
John McPhee

白水社

ピュリツァー賞作家が明かす

ノンフィクションの技法

DRAFT NO. 4: On the Writing Process by John McPhee

Published by arrangement with Farrar, Straus and Giroux, LLC, New York
through Tuttle-Mori Agency, Inc., Tokyo

一語とて見逃さないゴードン・ガンドと
言葉が抜けていればすぐに指摘してくれるヨランダ・ウィトマンと
わたしの話はもうすべて聴いてしまったプリンストンの学生たち五〇〇人に
本書を捧げる。

著者より

本書は執筆の過程を語る八篇の記事がもとになっている。いずれも『ニューヨーカー』誌に掲載された記事だ。そのうちの「確認」は作品集『絹のパラシュート（*Silk Parachute*）』に収められているが、本書にこそふさわしい一篇であり、ここにふたたび発表させていただく。

目次

凡例

＊訳者による注は、本文中の〔　〕内に割注で記した。
＊本文中の書名については、邦訳のあるものは邦題と原題に加え、訳者名、出版社名、刊行年を〔　〕内に割注で記し、邦訳のないものは逐語訳と原題を併記した。

展開

ABC
―――
D

一九六〇年代の終わりごろ、わたしはナッソー・ストリートに部屋を借りて仕事場にしていた。一連の階段を上ったところ、ネーサン・カズレル眼科クリニックの上にその部屋はあった。通りの向かい側はプリンストン大学の図書館本館、ホールを挟んだ向かい側はスウェーデン・マッサージの店だ。引退生活に入ってもおかしくないオーストリア人夫婦がもう何十年もやっている、ちゃんとした店だった。夫婦は大学のフットボール選手から関節炎に悩むお年寄りまで、ありとあらゆる人をマッサージした。そして、セックスは売っていなかった。だが、何しろあれはマッサージがセックスと同義語だった時代だ。夕方、わたしが書き物の手を止めて窓から階下の移りゆく光景を眺めていると、階段の下で背広姿の男が立ち止まり、ちょっとためらい、辺りを見回してから、ガラス扉に向かうのがよく見えたものだ。やがてこのオーストリア人夫婦は、「スウェーデン・マッサージ」の文字を扉からこすり取り、代わりに吊り看板をぶら下げて、夕方帰宅するときには外すことにした。それでも相変わらず男たちは二階の扉をめざして階段を上ってくるのだった　だが、左右のガラス扉のどちらにも、もう看板はかかっていない。わたしのオフィスの扉をノックする人もいた。扉を開けると、どの男もたちまちがっかりした顔になる。何しろグラマーなスウェーデン人に会えると期待したのに、顎ひげを生やした小男が出てきたのだから。

まあそんなことが続くなかで、わたしは三本の記事を書いた。互いに関連のあるこの三本は、やがて『森からの使者（*Encounters with the Archdruid*）』〔竹内和世訳、東京書籍、一九九三年〕という一冊の本にまとまった。わたしの仕事場の掲示板には、もう随分前からだが、ブロック体で大きくＡＢＣ／Ｄと書いた一枚の紙がピンで留めてある。アルファベット文字はそれぞれ、記事の構成部分を表しているのだが、この紙を貼り出したとき、記事のテーマは言うに及ばず、ＡやＢやＣをはじめ共通項のＤを誰にするかさえ、わたしは何一つ考えていなかった。ただ、実在する人を書くことだけは確かだった。実在する人びとが実在する場所で会う――それ以外はすべて漠然としていた。

いや、記事を書き始めるのに、そんなやり方はないだろう。普通はまず主題を決め、資料を集め、そのうえで一歩一歩記事を組み立てていくものだ。メモを山ほど取ってから、それをどう使うかを考えるもので、その逆ではない。一八四六年、エドガー・アラン・ポーは『グレアムズ・マガジン』誌に「構成の原理」と題する評論を寄せ、物語詩「大鴉《おおがらす》（The Raven）」について、着想を得てから書き上げるまでの過程を語っている。初めは漠然とした思いつきだったという。何か全体的に陰鬱で悲哀と寂寥感に満ち、鬱々としたものを書きたかっただけで、具体的に何を書くかは思い浮かばなかった。何かリフレインがあるものがいいだろう。それも一語のリフレインだ。それにはどの母音がいちばんふさわしいか。母音は長い「o」がいい。では、これにどの子音を組み合わせたら、悲しく憂鬱な感じが出るだろうか――ポーは「r」に決めた。母音の「o」に子音の「r」――ロアー（Lore）、コアー（Core）、ドアー（Door）、レノーア（Lenore）。こうして「鴉は答えた、ネヴァーモア（nevermore／二度とない）と」のリフレインが生まれた。実のところ、「ネヴァーモア」は自分が思いついた最初の言葉だったとポーは言っている。ポーの言葉にどれほどの真実が込められていたかは、読者の判断に任せたい。

ともあれ、ABC／Dと書いた紙きれを貼るなんて、わたしはポーのようなことをしていたわけだ。それまでにわたしはかれこれ一〇年にわたり、まずは『タイム』誌で、次に『ニューヨーカー』誌で人物紹介記事を書いていた。つまり個人の肖像画を描いていたわけである。『タイム』誌では、芸能人（リチャード・バートン、ソフィア・ローレン、バーバラ・ストライサンドら）のスケッチを数えきれないほど描いた。長い記事も短い記事もあった。『ニューヨーカー』誌では、さらに長いものを書いて、アスリートや校長、美術史家やワイルド・フード研究家たちを紹介した。そんなことを一〇年も続けていると、少し上をめざしたくてたまらなくなる。少なくともマンネリを避けるために、やり方を変えてみよう。個人の肖像を描くときの取材活動といえば、おおよそ次のような組み立てになる。

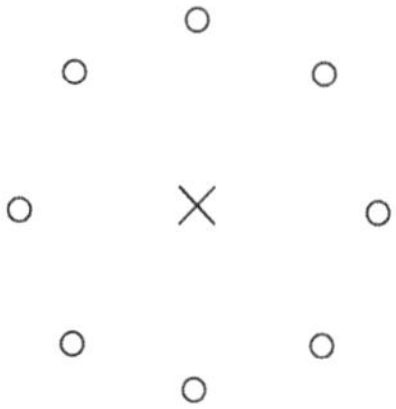

この×は、インタビューの相手を表す。記者がしばらくの間行動をともにし、観察する人、つまり記事の主人公となる人物だ。○は周辺取材、つまり×の暮らしや仕事について語ってくれる人への取材活動を示す。×の友人、母親、昔の先生、チームメイト、同僚、従業員、あるいは敵対する人など、誰でもいいのだが、その数は多ければ多いほどいい。○を積み重ねれば、三角測量ができる。つまり、事実をさまざまな角度から確認し、作り話を排除できるのだ。マーク・シンガーやブロック・ブロワーのような作家たちに言わせれば、周辺取材というものは、反対側から歩いてくる自分に出会ったときに、初めてもう十分やったと言えるのだそうだ。

そんなわけで、型にはまった記事を一〇年ほども書き続けたわたしは、ダブル紹介記事を書いてみようかと思いついた。こんなふうにするのだ。

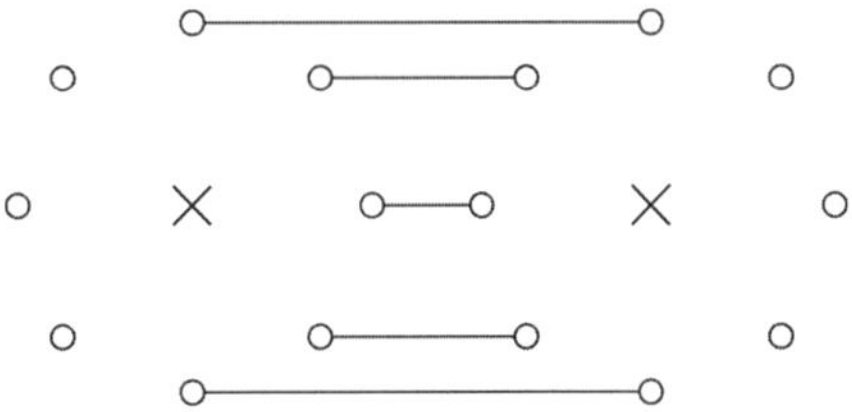

こうすると、両サイドが反響し合って、奥行きの深いものが書けるかもしれない。反対側から歩いてくる自分に二回も会えるかもしれない。いや、四回かな。何が起こるか、誰にもわかりはしない。いずれにせよ、一足す一は二以上になるはずだ。

では、誰を取り上げたらいいだろう。いや、誰と誰を？　どんな組み合わせで？　俳優と舞台監督はどうか。ピッチャーと監督、ダンサーと振付師、著名建築家と頑固な金持ちの注文主など、組み合わせはいろいろ考えられる。一足す一は二・六になる。そんなことを考えながら迷っていたある日、たまたまＣＢＳテレビが全米オープン・テニスの中継をやっていた。第一回大会の男子セミファイナルだ。二人のアメリカ人が戦っていた。二十五歳と二十四歳、白人と黒人だ。一人はリッチモンド市内にある当時は黒人用の公園・運動場のそばで、もう一人は富裕層が住むクリーヴランド郊外のウィンブルドン・ロードで育った。この二人ほどレベルの高い選手はほかにめったにいないし、プレイするのも全国的に組織された場に限られるから、二人が十一歳のときから互いを知っていたとしても不思議ではない。この二人を取り上げてはどうだろう。どんな可能性があるかと、わたしは三週間ほど考えた末に、ダブル紹介記事を書いてみることにした。この試合を記事の中心に据えて骨組みを作ろう。だが、それにはCBSの録画テープが必要だ。当時、録画テープはアーカイブ管理されておらず、使い回しするものだった。そして録画は、テレビ映像を一六ミリフィルムに変換して記録するキネコという機器を通して行われていた。そこでわたしはキネコの費用を会社で払っていただけないかと、『ニューヨーカー』誌のウィリアム・ショーン編集長に相談した。編集長はため息をつきながら「いいでしょう」と言ってくれた。CBSに電話すると、担当者にこう言われた。「ぎりぎりのお申し出でしたよ。あのテープは昼過ぎには消すことになっていたんです」

かくして「試合のレベル（Levels of the Game）」と題するダブル紹介記事が生まれた。こうなると気持ちに弾みがつく。二人を組み合わせた記事はうまくいった。では、四人を取材して、もっと複雑な記事にしたらどうだろう。ブロック体で大きくABC／Dと書いたあの紙きれを仕事場の掲示板に貼ったのは、そのころだった。AとBとCは互いに関係がなくてもいいが、それぞれがDとかかわりを持っている図だ。それにしても、A、B、C、Dとはいったい具体的には誰にしたらいいだろう。

ここでわたしが言う二つのねらい——一足す一は二・六とABC／D——は主題を模索するなかでの抽象的表現として生まれたもので、こんなやり方はその後二度としたことがない。たしかに、ポーのあの鴉も「ネヴァーモア（二度とない）」と言っている。それにしても、四者の紹介記事のテーマはなかなか見つからなかった。いったい、何について書けばいいんだろう。

拙著『露頭（*Outcroppings*）』の序文などでも述べたことだが、およそテーマを決めるにあたって問うべきは、ほかに数多《あまた》ある選択肢のなかから、なぜこれを選ぶのかであろう。ある人やある場所の本当の姿を描くとき、なぜこの人を、なぜこの場所を取り上げるのか。ノンフィクションのためのアイディアは、絶えず流れる川のようなものだ。流れの中から一つのアイディアをすくい上げ、記事に仕立て上げるのに、一カ月か一〇カ月、あるいは何年もかかるかもしれない。だが、その選択を左右するのは何か。あるとき、わたしはそれまでの二、三〇年間に自分が書いた記事を全部リストにし、一つひとつのテーマを見て、それが大学に行く前から興味を持っていたことに関連すれば、それにレ印を付けてみたことがある。なんと、九割の記事に印が付いた。

わたしの父は医者で、プリンストン大学のアスリートたちの怪我の治療をしていた。オリンピックに出場するアメリカ代表チームの主任医師を何回も務め、世界各地へ旅をしてもいる。わたしが幼いころ、父は夏になると青少年キャンプの医師を務め、ヴァーモント州で過ごすのだった。キャンプの名はキーウェイディン、まさに森の中の教室だった。このキャンプが力を入れて教えていたのはカヌーの乗り方と、今日的な意味での生態学《エコロジー》の学習だった（エコロジーといえば、当時はまだ、植物群落の研究といった響きがあった）。このキャンプでも地元の高校のチームでも、わたしはバスケットボールやテニスに夢中になった。だが、将来自分が書くことになる記事の土台を作っているとは、当時は頭の隅にもなかった。わたしは一年中、原野に旅に出ることを夢見ていた。もちろん、こうしてできた土台のおかげで、やがて自分がブルックス山脈をはじめ、謎の多いユーコン-タナノー地域や船形をしたネヴァダの峰々やワイオミングのララミー山脈を、ましてやCやDに該当する人たちと一緒にグランドキャニオンの急流《ラピッド》を訪れることになろうとは、想像もしていなかった。

一九六〇年代の当時、環境保護運動が盛んになり始めていた。そこでわたしはABC／Dの記事のテーマはこれに絞ろうと決めた。一人の環境保護運動家を、三人の天敵と対決させるのだ。とはいえ、言うは易し、だ。どこから手をつければいいのか。いったい誰と誰を取り上げるのか。もし何人かの名前が、魔法のように突如目の前に現れたとしても、わたしが一度も聞いたこともない名前ばかりだったろう。そこでわたしは友だちのジョン・カウフマンに相談しようと、ワシントン州に向かった。カウフマンはわたしが以前に教師をしていたころの同僚で、今は国立公園局で企画を担当している。ケープコッド国立海浜公園や北極圏の扉国立公園などの公園システムは、かれの研究をもとに構成されたものだ。カウフマンは友だちや同僚に呼びかけて、まずDの候補者リストを作ってくれた。探しているのは、今は亡きアルド・レオポルド級の人物だ。レオポルドといえば「野生生物生態学の父」と呼ばれた人で、著作『野生のうたが聞こえる（*A Sand County Almanac*）』〔新島義昭訳、講談社、一九九七年〕は二〇〇万部も売れたという。とはいっても、あのタイプの人はまとも過ぎるだろう。いま活躍中の環境保護運動家たちも、たいがいはまともすぎる。いや、例外が一人いた。デイヴィッド・ブラウアー、シエラクラブの事務局長である。カウフマンたちの評によれば、ひたすら突き進む気骨の人、波打つ白髪が印象的で、旧約聖書に登場する預言者を思い起こさせる人だという。わたしはカリフォルニア州北部の市外局番415で始まるかれの番号に電話した。すると数日後にカウフマンは電話をくれて、取材を承諾した。一方、AとBとCに当たる人――つまり、ブラウアーの天敵たち――はたくさんいた。ただ、そのなかから選ぶのは難しかった。結局、ブラウアーの意見を聞くまでもなく、わたしたちは一七人に絞り、数カ月後にはさらにそのなかから三人を選んだ。その一人がアメリカ内務省土地改良局長官のフロイド・ドミニーだった。ドミニーは西部各地に巨大なダムを造り上げた、まさにタフな西部野郎だ。若いころ、ワイオミングで郡農事顧問として働き、多くの農場を旱魃《かんばつ》から救った実績があり、貯水事業の大切さに深い確信を持っていた。アリゾナからアラスカに至る各地のダム建設計画をめぐって議会公聴会でしばしばデイヴィッド・ブラウアーと対決し、敗北を喫している。ドミニーに言わせれば、ブラウアーは「自分勝手な環境保護主義者」だった。取材を始めたばかりのころ、ドミニーは内務省のオフィスでこんなことを言った。「デイヴ・ブラウアーのほうは私を嫌ってます《ヘイツ・マイ・ガッツ》よ。なぜかって？　そりゃ、私にはガッツがあるからね」。のちに書き上げた記事にもあるように、ドミニーはさらにこんなことを言った。

「自然をそのまま保存することのみを頑迷に主張するような人間とは、私は話せません。ブラウアーもそうですよ。彼の言うことはじつにばかげてる。議論する値打ちさえありませんよ。前に一度、シカゴで彼と討論したことがありましたが、彼は私の剣幕におびえきってましたっけ。いつだったか議会での公聴会のあと、私は彼が事実を歪曲しているといって非難したことがあったんですがね。そのとき彼がなんて言ったと思いますか。『愛と戦いにあっては何事も正義なんだよ』ですと。まったく話にもなりゃしない。べつのときですが、やはり公聴会のあとで私は彼にこう言ったんです。あんたは自分がなにを言っているのかわかってない、いつかグランド・キャニオンに連れていって見せてやりたいもんだってね。するとブラウアーの奴、こうほざいたんですよ。『少し残しといてくれれば、いつか行くよ』とね。

シェナンドーの農場で以前飼っていた雄牛がデイヴ・ブラウアーそっくりでね。二年つづけて市場に連れていくことができずに、結局あきらめて撃ち殺しましたよ。ひどく気ままでしてね、どんなことをしても檻に入れることができなかったんです。トラックに入れようとしても、狭いシュートを壊して出ていってしまうんです。そこで私は奴を農場においたまま太らせておき、最後に頭を撃って殺しましたよ。肉は自分で解体しました。奴の始末をつけるにはそれしかなかったものでね」

「長官」私はたずねた。「もしデイヴ・ブラウアーがコロラド川を下るラフトに乗るとしたら、あなたも一緒に来られますか？」

「そいつはまた」と彼は言った。「いいでしょう。行きますよ」

（竹内和世訳）

こうしてCとDが決まった。『森からの使者』の大枠ができたのだ。この二人にA（地質学者で鉱山技師のチャールズ・パーク）とB（リゾート開発業者のチャールズ・フレイザー）を加えた四人を描いた三部構成の作品は、それまでに書いた一足す一式の記事と遜色のない出来栄えになった。そこでわたしは、そんなことをすれば、記事が累乗的に膨らんでしまうリスクはあったものの、六人のプロフィールをひと続きにできないものかと考え始めた。七人目の人物を第一話でちょっと登場させ、第二話ではそれより少し多く、第三話ではさらに多く、といった具合に第四、第五、第六話へと進むにつれて、脇役にとどめながらも少しずつ登場場面を増やし、最後の第七話で主人公として登場させるのはどうだろう。だが結局、わたしはこの途方もない構成からしり込みした。以前にショーン編集長の提案からしり込みしたことがあるが、あのときと同じだ。ショーン編集長のオフィスに呼ばれて、ニューヨークで病院を運営するのにいったいいくらかかるか、バンドエイドから室内便器まで一切合切の費用を調べてみないかね、と言われたのだった。また、ティナ・ブラウンが『ニューヨーカー』の編集長に就任して最初の年のことだが、いま取りかかっている記事を棚上げして、マラッカ海峡で人が殺されていることを書いてはどうかと言われた。わたしはこの提案からもしり込みした。『ニューヨーカー』誌から仕事の依頼を受けたのは、五〇年間で後にも先にもこの二回きりである。

読者もどんどん提案を寄せてくれる。それも優れたアドバイスが多い。だが、たいていは書き手よりも読み手の情熱を反映した提言だ。あるとき、アンディー・チェイスという名の船乗りがタンカーのデッキで書き綴った手紙を送ってくれた。アメリカの海運業の著しい衰退ぶりとその今日的、歴史的重要性が縷々《るる》綴られていた。あくびが出たが読んでいくと、こんな意味の一文があった――きっと、海運の将来などどうでもいいと思われるでしょう。でも、船乗りと一緒に海に出てみませんか。記事にしたくなるような、ポンポンものを言う連中と知り合いになれますよ、と。そこでわたしは、アンディーが陸に上がったところで、メイン州の彼の家を訪れ、結局そこでまる一日メモを取り、やがてアンディーと二人でニューヨークとチャールストンとサヴァンナの船員組合会館を回り、船を探すことになったのだった。こうして『船を探す（*Looking for a Ship*）』が刊行されて間もなく、あるトラック運転手が手紙をくれた。今度も、一度も会ったこともなければ名前を聞いたこともない人だ。化学製品用タンクローリーを所有しているという。手紙には「船乗りたちと海に出たんなら、今度はぜひおれたちと一緒に陸を旅してくださいよ」とあった。「どんな仕事なんですか」とのわたしの返信に、この人は便箋七枚の返事をよこした。タンクを内部洗浄に出している間に書いたのだろう、積み荷のことや行く先のことが詳しく書いてあった。だがわたしたちはすぐに会うこともなく、その後五年間も手紙のやりとりをした。ところが、ついにある日わたしはジョージア州で、この人のトラックに乗り込んだのだった。するとすぐさまこう言い渡された。「さてと、この旅行、うまくいかないかもしれない。そうなっても、こっちは全然気にしないから、嫌になったら言ってくださいよ。途中のどこかの空港で降りればいいんだ」。わたしが彼のトラックからついに降りたのは、シアトル・タコマ空港だった。これまでに一般読者からいろいろとすばらしい提案をいただいてきたが、実際に取材に結びついたのはこの二回きりである。

　アイディアというものは、見つけさえすればどこにでもある。とはいえジョン・カウフマンは、まるでフォアグラを作るような勢いで、せっせとわたしにアイディアを詰め込んだ。カウフマンは少年時代、夏の間はニューハンプシャー州の北の方でカヌーに乗って過ごしたので、わたしたちには共通の興味がたくさんあった。わたしの著作のおよそ二割は――とりわけ『森からの使者』、『バークカヌーは生き残った（*The Survival of the Bark Canoe*）』〔中川美和子訳、白水社、一九九五年〕、『アラスカ原野行（*Coming into the Country*）』〔越智道雄訳、平河出版社、一九八八年〕の三作は――全体的にせよ、部分的にせよ、カウフマンのアイディアに拠っている。だが、さらに言えば、新しい作品はまるで地下で広がる根茎のようなつながりをたどり、ほかの作品から芽を出すこともある。そんなつながりの一つを動かすと、そこから驚くばかりのからみ合いが生まれ、まったく予想もしなかった結果にたどり着く。

　わたしが取材のためデイヴィッド・ブラウアーとしょっちゅう会っていた一九六九年のある日、ブラウアーはレッドウッド材で建てたバークレーの自宅を出て、州北部ユリーカに向けて飛び立った。レッドウッド国立公園のレディ・バード・ジョンソン・グローブの竣工式に出席するためであった。

わたしも一緒に来いという。木々が立ち並ぶ薄暗い森の中を、二人で歩いた。レッドウッドのチップで舗装された新しい道が一本、通っている。時折、黒塗りの高級車が悠然と通り過ぎていった。黒い背広姿のシークレットサービス官が数人、黒塗り車のわきを徒歩で固めていた。沿道に一定の間隔で赤い公衆電話が置かれている。レッドウッド材の支柱に支えられた四角いレッドウッド材の平板の上に、覆いもせずに置かれた年代物のプッシュボタン式卓上型固定電話は、シダの茂みから顔を出し、奇妙に目立っていた。式典の参加者はたいてい徒歩で森に入ったが、現役のアメリカ大統領と退任したばかりの前大統領と未来の大統領、およびジョージ・マーフィー上院議員とビリー・グラハム牧師、ならびに前大統領夫人レディ・バード・ジョンソンと大統領夫人パット・ニクソン、そして将来大統領となるレーガン・カリフォルニア州知事の妻ナンシーは、高級車に乗ってウッドチップ舗装された道を進んだ。式典はレッドウッド材でできた舞台の上で執り行われた。壇上に居並ぶ大統領たちは、この風景の中では見栄えがしない。レーガン知事がそつなく歓迎の辞を述べた。レッドウッドなんかどれもこれも同じだという持論はちらりとも見せない。リチャード・ニクソンは大いに弁舌をふるったが、リンドン・ジョンソンには、おおかた通じなかったろう。何しろ、初めのうち壇上でうなずいていたジョンソンは、すぐにぐっすり眠り込んでしまったのだ。口をゴルフボールが入るほど大きく開けて。

その後、ユリーカ空港でブラウアーは国立公園局のジョージ・ハーツォグ局長をわたしに紹介してくれた。サンフランシスコ行きの便を待つ人たちの長い列ができていて、ハーツォグ局長はわたしたちのすぐ後ろに並んでいたのだ。「目下のところ、心配なのはアーカンソー州のバッファロー川なんだ」と局長はブラウアーと話していた。ぐずぐずしていたら、陸軍工兵司令部や開発業者が手を伸ばしてくるかもしれない、州が何かまずいことをしでかすかもしれない。その前に手を打っておきたいんだ、と。局長はバッファロー川をわが国初の国立河川にしたかった。このごろは釣りに出かける暇もなくてね、と局長はブラウアーと話し続けた。首都の近くの川でしか釣ってないんだが、そろそろバッファロー川で二、三日過ごすというのはどうかな、と思っている。川をゆっくり見てきたいしね。川釣りとダムと聞いて、ブラウアーが飛びつかないわけはない。だが、ここでわたしは、思わず、「ご一緒させていただけますか」と口走り、自分で自分に驚いたのだった(実はわたしは、怖がり屋といってもいいほど遠慮がちな人間なのだ)。

ハーツォグ局長はわたしの同行を許してくれた。そのうえ、『ニューヨーカー』誌に紹介記事を書くことも承諾してくれた。ハーツォグの友人のトニー・ビュフォードという人も釣りの一行に加わった。バッファロー川は水位がいつもより一メートル以上も高く、釣りは散々な結果に終わったが、二人の反応は対照的だった。ビュフォードはミズーリ州出身、独学で弁護士になり、今はアンハイザー・ブッシュ社の弁護士を務め、州の南東部に所有する農場でクオーターホースを育てている。一方、ハーツォグはサウスカロライナ州スモークスで貧困の中で育った。ビュフォードと同じく独学で法律を学び、サウスカロライナ州の弁護士資格を取得した。キリスト教伝道師としての資格も持っている。ビュフォードと知り合ったのは、国立公園局の主任自然保護官としてセントルイスに赴任し、市のシンボルとなるゲートウェイ・アーチ——エーロ・サーリネン作のアーチ——の建築を進めたときだ。実際、ハーツォグは注文主側の現場担当者であった。今日、このアーチのてっぺんまで上るためのチケットは、ジョージ・B・ハーツォグの名を冠したビジターセンターで売られている。

それまで一五年間も棚上げされていた一連の計画を生き返らせ、セントルイスのあの巨大なアーチを建造したのはハーツォグだった。アーチ建設の経緯に詳しい人たちは、ハーツォグがいなければアーチは建たなかったという。「自然保護官ハーツォグ」はセントルイスの英雄だ。ただし、今この瞬間、トニー・ビュフォードにとっては英雄でも何でもない。「おい、ジョージ、この川は最悪だよ。こんなひどい川で釣りをするとはな。まったく、何も釣れやしないじゃないか」

悪態をつくビュフォードをハーツォグは親しみと同情のこもった表情で長いことじっと見つめ、やがてこう言った。「釣りはいつだってすれば楽しいじゃないか、トム」。この二人の根本的な違いといえば、ビュフォードは攻撃的な釣り人で、ハーツォグは受け身の釣り人だということだ。ビュフォードの平底船の船首甲板には、大きなシアター・オルガンのような三段重ねの釣り道具収納箱《タックルボックス》が開いたまま置かれていた。

ビュフォードは、釣りをしていないときはたいていオールアメリカン・フューティリティーの話をしていた。二歳馬クオーターホース限定の競馬のことだ。毎年ニューメキシコ州ルイドソで開かれるこのレースに、ビュフォードはオーナー・ブリーダーとして情熱を傾けていた。このイベントの資金はケンタッキー・ダービーとプリークネス・ステークスとボルティモア・ステークスの三大レースの合計の二倍に近い額に達し、クオーターホース・ブリーダーの間で交わされる一種のチェインメールを通して集められる。事前登録される一歳馬は一〇〇〇頭を超え、馬主が払う金は、固定資産税並みに数カ月ごとに、いや、もっと頻繁に増えるのだった。「きみ、ニューメキシコに来て、記事にするといいよ」とビュフォードはわたしに言い、間もなくまた同じことを繰り返した。わたしは馬とシマウマの区別もつかないのだが、その後もビュフォードは、キャンプ場でも川の上でも、「きみ、ニューメキシコに来て、オールアメリカンを記事にするといいよ」と繰り返し勧めた。

　だが結局、ビュフォードはその年は自分の馬を出すのをあきらめて、家にいることにした。どの馬も勝てそうになかったからだ。ルイドソに行ったのはわたしだ。妻のヨランダ・ウィトマンと一緒だった。コネティカット州で馬と一緒に育ったヨランダは、厩舎でどんなことが起きているかはたいてい知っていた。二週間というもの、わたしたちは毎日、厩舎に通った。夜明け前から行くこともあった。じきにわたしたちはビル・H・スミスと近づきになった。ビルがアーカンソー州のピーリッジからルイドソにやってきたのは、金をうなるほど持っていて「大きな顔でテキサス風をふかすやつら」が、オクラホマとかカリフォルニアとか、もちろんテキサスから来ているから、そんな連中と渡り合うためだった。「大きな顔」などという言葉はビル・H・スミスには当てはまらないが、ディーン・ターピットにはぴったりだった。ディーンは公式スターター、その役で映画にも出演している。実世界でディーンは途方もなく大きな役割を負っていた。何しろ、クオーターホースはサラブレッドよりずっと速い。ディーンがゲートを開ければ、一分の三分の一も経たないうちに、クオーターマイル・レース〔約四〇〇メートル〕は終わってしまう。あらゆる品種の競走馬で世界最速の、時速五五マイル〔約八八キロメートル〕を記録したクオーターホースもいる。ルイドソのレースでは、本選の一週間前の予選で順位に関係なくすべての馬のタイムが記録され、上位一〇頭が本戦に出走する。スミスはカルカッタ・デックという馬を持っていて、これが本戦に出ることになった。レースが始まる前の数日、いや数時間前まで、わたしは相反する感情にさいなまれた。スミスのためだ、デックに勝ってほしいと願った。だが、それ以上に、負けたらいいと思った。そのほうが面白い記事が書けるからだ。レースを見ようと柵まで行ったとき、わたしは文字どおりめまいがするほど迷っていた。

＊

こうしてブラウアーの取材からルイドソの競馬まで、段階を追って発展し、袋小路に至ったこの話には、最後におまけが付いている。もう何年にもわたってだが、わたしは時々、書いた記事を映画化しないかとのお誘いを受けることがある。たいていは、真夜中に電話がかかってくる。タイムゾーンを三つほど隔てた地域の独立プロデューサーが、『ニューヨーカー』誌のわたしの記事を読み終わってかけてくるのだ。だが、そんな電話に心が浮き立つことはもうない。実現しないと、とうの昔にわかったからだ。電話をくれたプロデューサーは、次に銀行か製作会社に行くだろうが、それっきりだ。二度も電話をくれる人は、まずいない。あとひと息、という企画もあった。劇場映画もテレビ映画も手がけているあるプロデューサーが、「試合のレベル」がいいんじゃないかと言ってくれた。わたしたちはニューヨークで打ち合わせをした。プロデューサーはフォレストヒルズのテニス・スタジアムを借りきって、エクストラでいっぱいにするんだと言っていた。でも結局、この人は何にもいっぱいにしなかったし、オプション料の支払いにさえ応じてくれなかった。

『ニューヨーカー』誌にわたしの記事「ルイドソ」が載ると、レイ・スタークというプロデューサーが電話をくれた。そして今回ばかりは話が実り（それ以後は二度となかったが）、スタークの製作会社ラスター・プロダクションズは、本当に映画を作ったのだった。『ケーシーの影』というタイトルで、アレクシス・スミスやウォルター・マッソーら当時のスターが出演していた。どうせ自分が書いた記事とは似ても似つかない映画になるだろうと思ったわたしは、クレジットタイトルには名前を入れないでくれと頼んでおいた。やがて『ケーシーの影』は、プリンストン郊外の国道一号線沿いの、プリンスという映画館で上映されることになり、わたしは妻のヨランダと一緒に子どもたちを連れて観に行った。わたしたちには子どもが八人いて、そのほとんどが一緒に来た。わたしはシートに落ち着き、スクリーンに向かうが、だんだん深くシートに沈み込み、映画が終わるころには、ほとんど仰向けの状態になってしまう――いつものことだ。この映画の筋立ては、わたしの記事にきちんと沿っていて、変更はただ一つ、マッソー演じる主人公の出身地が、アーカンソーではなくルイジアナのクオーターハウス生産地ということになっていた。あの日、なぜかわたしのポケットにはめったにないほど大量のコインが入っていて、上映中に少しずつポケットから落ち、暗闇の中、床に散らばってしまった。物語が終わり、スクリーン上にクレジットタイトルが出始めたとき、わたしは膝と両手をついて床に這いつくばり、手探りで硬貨を探していた。どうにか振り向いてスクリーンを見ようとしたその瞬間、子どもたちが歓声を上げた。「原作　ジョン・マクフィー著『ルイドソ』」と出たらしい。わたしが座席の下をごそごそ探り、五セントや一〇セントや一セント硬貨をつかもうとしていた、まさにその最中に、であった。

構成

わが家の勝手口を出たところにトネリコの大木があり、その下にピクニックテーブルが置いてある。一九六六年の夏も終わろうとするころ、わたしはもう二週間近くもこのテーブルの上に寝そべって枝や葉を見つめながら、恐怖と極度の不安と闘っていた。『ニューヨーカー』誌に載せる記事を、どこからどうやって書き出せばいいのか、まったく見当もつかなかったからだ。これは前章で述べた「展開」を経験する三年半も前のことだった。昼時には必ず、夜にはもちろん、家の中に戻ったが、だいたいは一日中テーブルの上であおむけになっていた。記事のテーマは、ニュージャージー州南部のパインバレンズ森林地帯に決まっていた。取材も終わっていた。およそ八カ月もかけてプリンストンから毎日車で通ったり、寝袋と簡易テント持参で出かけたりして、必要な調べ物はすべて済ませた。森の住民たちをはじめ、火災監視員、森林警備隊員、植物学者、クランベリー農園の持ち主やブルーベリーの摘み取り業者や雑貨屋の店主といった人たちからも話を聞いた。読もうと思っていた本や学術論文や博士論文もすべて読んだ。手元にはサイロ一基がいっぱいになるほど、たくさんの資料が集まっている。それなのに、それをどう使ったらいいかわからない。この記事を組み立てるには、最終的におよそ五〇〇〇の文章が必要だろう。だが、この二週間というもの、ただの一行も書けないでいる。募る不安に加え、経験不足からわたしはにっちもさっちもいかなくなっていた。これほど多くの構成要素――人物や状況の描写、会話、物語、逸話、ユーモア、歴史、科学など――を一本の記事に盛り込もうとしたのは、これが初めてであった。

そんななか、わたしは六年前に書いたモート・サルの特集記事を思い出した。政治風刺で知られるこのコメディアンを『タイム』誌の表紙に取り上げたときのことで、あれはわたしにとって初めての表紙特集だった。ただ、規模からいえば今の仕事とは比べ物にならなかった。『タイム』誌の表紙特集は、たった五〇〇〇語の単純な半生記に仕上げればよかったのだ。そう、あれは、ケネディとニクソンの両候補がしのぎを削った大統領選の真っ最中だった。だが、五〇〇〇語なんか到底書けない、と当時のわたしは途方に暮れた。たった二、三日で、録音を聞き、ノートを取り、社の取材記者たちが作った資料を頭に入れ、資料室の切り抜きを読み、参考図書を数冊読まなくてはならない。わが家の床に大の字になったわたしは、緊張のあまりパニック状態に陥った。まったく泣きたい気分だった。刻一刻と締め切りが近づいてくる（ちなみに、『ニューヨーカー』誌ではこんな状況に陥ったことはない）。それまでに書けたのは、「その市民はある種の不安を抱えていた」という、たった一文だけである。実際、ここにいるこの市民もそのとおりなのだった。周りに積み上げたあらゆる資料の中から、次にどれを取り上げればいいのかわからない。わかったとしても、この資料の山の中の、いったいどこにそれはあるんだ？

　一九四〇年代の後半、わたしはプリンストン高校の生徒だった。入学から三年間、わたしたちはオリーヴ・マキー先生から英語の授業を受けた。いま振り返ってみると、マキー先生の宿題の出し方は独特で、読書と比べて作文が圧倒的に多かった。四年生のときに習った男性教師の教え方とは雲泥の差があった。何しろ、一週間に作文を三本書かされたのだ。毎週必ずというわけではない。感謝祭なんかが入る週は例外だったから。つまり、わたしたちは三年間にわたって、ほぼ毎週、三本の作文を書き続けたのである。テーマは何を選んでもいいが、書き始める前にまず構成のアウトラインを考え、提出する作文にそれを必ず添えることが、マキー先生の教えだった。アウトラインにはローマ数字のⅠ、Ⅱ、Ⅲでも、矢印や棒線イラストを添えたぐにゃぐにゃの線画でも、何を使ってもよかった。大事なのは文章を書き、段落を作る前に何らかのかたちの計画を立てることだった。演劇部の指導もしていたマッキー先生は劇的な表現が好きで、授業では生徒に自分の作文をクラスメイトの前で朗読させた。発表中の友だちにブーイングしたり、茶化したり、紙つぶてを投げたりする生徒がいても――よくあることだった――止めようとしない。実際、何かを読み上げながら、ひょいと頭を引っ込める術を、わたしはマキー先生の授業で身につけたのだった。わたしはマッキー先生が好きだった。先生の授業も好きだった。それで数十年後、モート・サルに圧倒され、膨大な資料に囲まれてもがいていたあのとき、わたしはマッキー先生とアウトラインを書いた紙のことを思い出した。そして、締切が迫るなか、夜半までかけてゆっくり資料を分類し、テーマごと、日付ごとに仕分け、「その市民はある種の不安を抱えていた」というあの冒頭文につながるようにまとめることができた。それから、冒頭に戻る前に結末を決めた。今でもこのやり方は変わらない。あの記事の場合は、このコメディアン自身に結びの言葉を語ってもらうことにした。「ニクソン対ケネディの対決ですけどね、わたしもいろいろ考えたんですが、結局どちらも勝てないでしょうな」

わたしがピクニックテーブルの上で危機を経験したのは、『ニューヨーカー』誌のスタッフライターになって二年目のことだった（スタッフライターとは、この雑誌と近い関係にある無給フリーランス記者の婉曲表現である）。わたしは二〇カ月の間に六本ほどの記事を提出していた。短いもの、長いものといろいろな記事だったが、ウィリアム・ショーン編集長はすべて採用してくれた。だから、新しい記事を始めるにあたって、いくらかは自信を持ってもいいはずだった。だが、自信なんてものはなかったし、到底持てるものではない。書き始めに不安を感じるのは当然ではないか。以前にやったことがうまくいったとしても、自信にはつながらない。前に書いた記事が、記者に代わって文を書いてくれるわけはない。パズルが一つ解けたとしても、二つ目が解けたことにはならないのだ。あれこれ工夫して一つ目の解を出しただけのことだ。悩んでいるうちに、わたしはパインバレンズに生まれ育ったフレッド・ブラウンを登場させようと思いついた。ブラウンは森の奥の小屋で暮らす七十九歳、この地域が抱える種々雑多な問題の少なくとも四分の三と——それらがあまりにも多岐にわたっていたことがわたしの行き詰まりの原因だったのだが——何らかのかたちで関係のある人物だった。そうだ、記事ではまず、わたしが初めてブラウンと会ったときのことを書いて、彼の紹介としよう。彼の家の土間の玄関を入ったときのことだ。「さあ、さあ、《カム・イン》入った、入った、《カム・イン》ずんずん入ってくれよ《カム・オン・ザ・ヘル・イン》」。それから二人で何回も森のあちこちを歩き回ったときのことを、関連するテーマに触れながら書いていこう。三万語ほども書けたら、その後はなんとかなるだろう。意外なことに、組み立てる方針をこう決めると、よし、これでほぼ完璧な構成だと思えてきた。こうしてわたしはピクニックテーブルから下りることができた。

あれ以来、わたしはどんな記事を書くときも、まず初めに構成を考える。そして、マキー先生のように、構成が重要だとプリンストン大学の執筆講座の学生たちにもう何十年間も説き続けてきた。「しっかりと安定し、それでいて芸術的な構成を考えなさい。読む人がページを繰りたくなるような構成を組み立てるのです。ノンフィクションにおいて、しっかりした構成はフィクションにおける筋立てと同じく、人を引きつける効果があるからです」などなど、と。

事実に基づく記事を書こうとして、その構成を考え始めるのは、夕食の食材を買って帰ってきたときに似ている。あなたは買ってきたものを取り出してキッチンカウンターに並べるだろう。そこにあるものを、これから使うのだ。ただし、そこにあるものしか使えない。赤くて丸いものがあったとして、それがパプリカだとしたら、トマトではない。記事の構成は、ある程度はそれ自体で決まってしまうものだが、そうでない部分もある。書き手は自由裁量の利く部分で、面白い選択ができる。たとえば、拙著『森からの使者』でわたしはそんな経験をした。あれを書いたとき、わたしは一二カ月にわたり主要人物四人とあちこちを旅行した末に、複雑きわまるメモ書きの山に直面することになった。あのABC／Dに簡略化された概念的な骨組みに、いよいよ肉付けしなければならない。それには三部構成にし、各部で一回ごとの旅行を語ろう。Aは地質学者チャールズ・パークと一緒に行ったノースカスケードへの旅。Bはリゾート開発業者チャールズ・フレイザーとのジョージア州の島への旅。Cは巨大ダムの建設を仕事とするフロイド・ドミニーと一緒だったグランドキャニオンのコロラド川の旅。そしてDを、環境保護団体シエラクラブの「高僧」と呼ばれるデイヴィッド・ブラウアーにし、三回の旅すべてに登場させよう。ほかの登場人物たちの経歴はそれぞれ関連のある部分で紹介すればいい。だが、ブラウアーについての詳しい記述は、三部を通して随所に入れることにする。手元にある大量のメモ書きをすべて調べ、分類し、内容を明示し、コードを付け終えると、縦横三×五インチのインデックスカードが三六枚でき上がった。一枚一枚に、記事の構成要素を示す二、三のキーワードを書き入れてある。さあ、あとはカードを順番に並べるだけでいい。だが、どんな順番で？当時、わたしの仕事場にある主な家具といえば、一対の架台に差し渡した一枚の合板——大きさは約一・二×二・四メートルほど——だった。わたしは合板の上にカードを表向きにばらまいた。なかには、一定の位置から動かしがたいカードもある。だが、ふわふわと位置の定まらないカードもあり、記事の質を決めるのはこちらのほうだ。わたしは合板上に散らばったカードを見続けた。二週間も、とは言わないが、午後中ずっと見ていると、ついに、どうしても二枚のカードに目が行ってしまうのに気づいた。一枚には「登山家」、ほかの一枚には「急流《アプセット・ラピッド》」のキーワードが記してある。「登山家」のカードはどこに持ってきてもいいだろう。だが「アプセット・ラピッド」のほうは、川の旅の話の中の、しかるべきところに入れなければならない。わたしはこの二枚のカードを並べて合板の上に置いた。「アプセット・ラピッド」は左側だ。こんな具合に並べ直していくと、この二枚を中心にほかの三四枚が集まった。やがて合板の上にばらまかれたカードは、きちんと列をつくって並んでいた。記事を書き上げるにはそれから何カ月もかかったが、その間にカードのこの並び方が変わることはなかった。

グランドキャニオンのコロラド川には、地図上に「通過は生命の危険あり」と記されているラピッド（急流）がいくつかある。アプセット・ラピッドもその一つだ。わたしたちは合成ゴムのラフトに乗っていた。ジェリー・サンダースンというガイドも一緒だ。決まりによれば、ガイドは急流の手前で止まり、流れの具合を調べなければならない。ブラウアーとドミニーは、ここ数日間、言葉の砲撃を続けていた。グランドキャニオンの真ん中に巨大なダムを造りたいと、ドミニーが言っているからだ。二人は日中ずっと、それに夜半まで言い争いを続け、わたしはひたすらメモを取っていた。さて
―

私たちは全員ラフトをおり、サンダーソンと一緒にラピッドの縁まで歩いていった。……問題の箇所はすぐ見てとれた。ラピッドのすぐ右側に、深さ一五フィート、幅数ヤードの巨大な穴があり、そこには小型のナイアガラからおびただしい水が注ぎこまれていた。一秒間に何トンもの水量である。はるか左、穴のむこう側には、巨大な岩が白い奔流のなかにそそりたっていた。

……


「どうするつもりだい、ジェリー?」

サンダースンは水の轟音に負けまいと、ふだんより大きな声で、ゆっくりと口を開いた。「穴に飛びこむときは、穴の向こう側から手前一〇分の一くらいの地点に着くつもりでないとまずいんですよ。それよりもこっち側だと穴のなかに入ってしまうし、それを越えると岩にぶつかっちまう」

「穴の底にはなにがあるんだい、ジェリー?」

「ゴムのラフト」と誰かが言った。

サンダースンは微笑した。

「二年前にここでなにが起きた、ジェリー?」

「合成ゴム製のフロートボートがここを通り抜けようとして、岩にぶつかって半分に割れてしまったんですすよ。人間のほうは救命胴着がボートの綱にからまって、結局溺れてしまいましたがね」……

私たちはラフトに戻り、川のなかにのりだした。ラフトはわずかに向きを変え、ラピッドに向かって動きだした。「あれ」ドミニーが言った。「デイヴはどこだい? あれあれ、奴を取り残しちまったぞ。乗らないつもりなのか?」

ブラウアーは岸に残っていた。ラフトはすでに岸から四〇フィート離れていた。「なんてこった。まったくなんてこった」ドミニーがゆっくりとくりかえした。「一緒に来ないつもりなんだ」。アプセット・ラピッドがラフトごと私たちをなかにひきずりこんだ。

深い身震いとともに、ラフトは穴に墜ちていった。果たして穴の縁から手前一〇分の一の地点に着けたかどうかは神のみぞ知るところだ。ラフトはほとんどまっぷたつに折りたたまれ……

（竹内和世訳）

やがてわたしたちは向こう側に浮かび上がった。ドミニーは、まだ「あの偉大なアウトドアマンがなあ」などと言っていた。「まったく、あのライフジャケットを着たまま、乾いた土の上に立っているとはね！」。わたしは第三者的立場をとるべきだったが、あえて口を挟み、ラピッドを迂回してきたデイヴが合流しても、何も言わないでくれとドミニーに頼んだ。「なんてこった。信じられんよ。戦争中、やつは何をしていたんだい?」ドミニーは言う。ラフトは穏やかな流れに乗り、川岸に着いた。ブラウアーがわたしたちを待っていた。

ドミニーが声をかけた。「デイヴ、なんで一緒に来なかったんだ？」
ブラウアーが答えた。「恐かったからだよ」

（竹内和世訳）

「アプセット・ラピッド」のセクションはこれで終わりだ。既刊本では、この後に数行分の空白スペースが割かれ、その後にこう続く。

『ハイ・シエラ登山ガイド』（シエラ・クラブ、一九五四年）には、デイヴィッド・ブラウアーが初登攀に成功したシエラ・ネヴァダの三三の山頂があげられている。「アローヘッド。一九三七年九月五日。デイヴィッド・ブラウアーとリチャード・M・レナードにより初登頂……グレイシャー・ポイント。一九三九年五月二八日、ラッフィ・ベダヤン、デイヴィッド・R・ブラウアー、リチャード・M・レナードにより初登頂……」等々。

（竹内和世訳）

新しいセクションでは、第一級のロッククライマーで、目がくらむほど高い岩壁や花崗岩の岩山に指をかけてしがみついたこともあるブラウアーの紹介が続く。「アプセット・ラピッド」と「登山家」のセクションを区切るこの空白スペースは多くを語る。勇気について、意気地のなさについて、またこの二つが人の心に併存することについては、わたしがあれこれ書くよりも空白スペースに任せておくほうがいい。この二枚のカードの並び方にこそ、文を書く過程でわたしがもっとも面白いと感じ、夢中になり、わくわくする段階の神髄がある。また、（わたしの場合、あのピクニックテーブルの上で二週間もかかったとはいえ）これはいちばん短い段階だ。いったん二枚のカードを並べ、その周りに残りの部分を組み立てたら、あとは書くだけだ。だが、それには一年以上かかったのである。

＊

　構成を組み立てるのは、普通はそれほど簡単にはいかない。時系列とテーマはほぼ常に、かなりの緊張関係にあり、優勢を占めるのは伝統的に時系列である。語りは、ある一点から別の一点へと時間を追って動こうとする。一方、人の一生のうちに時折持ち上がるさまざまなテーマは、地中で固まろうとする塩のように、互いに一つにまとまろうとする。たいていの場合、力が強いのは時系列である。バビロニア人が残した碑文も、ほとんどは時系列に沿って書かれたし、現代ではほぼすべての記事がそうである。『タイム』誌と『ニューヨーカー』誌で一〇年間もこのやり方で書いていたわたしは、マンネリに陥ると同時に、不満を覚えるようになった。時系列の圧力に屈するのはうんざりだ、テーマ中心の記事をどうしても書いてみたい、と。

　一九六七年、ニューヨーク・メトロポリタン美術館の館長に就任したばかりの美術史家トーマス・P・F・ホヴィングを数週間かけて追ったときのことだ。取材メモを読み返すうちに、この記事の場合、ホヴィングの半生を誕生から現在まで時系列順に綴っても、さまざまなテーマを掘り下げられないことに気づいた。たとえば、ホヴィングは贋作について実にいろいろなことを知っていた。十代のころ、ニューヨークの東五〇丁目界隈のある店で「ユトリロ」や「ブーダン」や「ルノワール」を見たとき、すぐに贋作だと感じ取ったという。だが、それから八〜一〇年経ち、院生だったホヴィングはおかしいと感じ取ることができずに、ウィーンのある美術商に騙された。ハンガリー動乱のさなか、「ブダペスト」から運ばれてきた「ホットな」作品という触れ込みの油絵は、実はその前日にウィーンで売りに出された贋作であった。

後年、経験を積んだホヴィングは、贋作家ハン・ファン・メーヘレン——フェルメールの初期作品とされる一連の贋作の製作者——に尊敬の念を抱かずにはいられなくなる。また、自作の「古代エトルリア人戦士像」で世界を欺いた贋作家アルフレッド・フィオラヴァンティに対しても、同じく尊敬の念を抱いた。この戦士像は、贋作だと判明するまで、メトロポリタン美術館のギリシャ・ローマのセクションに展示されていたのだった。なかでもホヴィングが感心したのは、銀の香炉の贋作を作り、原作品のほうに自分の工具痕をつけたある才能豊かな悪党の機知であった。一時期、ホヴィングは真贋判定のための科学機器の研究をしたり、自分でも贋作を描いたりしたことがある。実際、贋作というテーマにかかわるエピソードは、ホヴィングの半生のあらゆる年代に散らばっていた。では、記事を書くにあたって、「芸術と贋作」のテーマをどう取り上げればいいだろう。この題材の場合、時系列対テーマの問題はほかにも出てくるだろうが、それらをどう処理しようか。これまでどおり、まず時系列に沿って書くべきか。いや、とわたしは腹をくくった。やり方を変えてみよう。こう決めたときのことはよく覚えている。あれは日曜の朝、美術館は開館前で、中は暗かった。ホヴィングに案内してもらい、薄明かりの館内を見学するうちに、わたしたちはある小部屋に来た。立ち去りがたい部屋だった。二十数点の肖像画が展示されている。肖像画は何枚あっても、それぞれがほかとはっきり区別できるし、テーマに沿って描かれているという特徴があり、ある人の人生を、時系列に沿っ

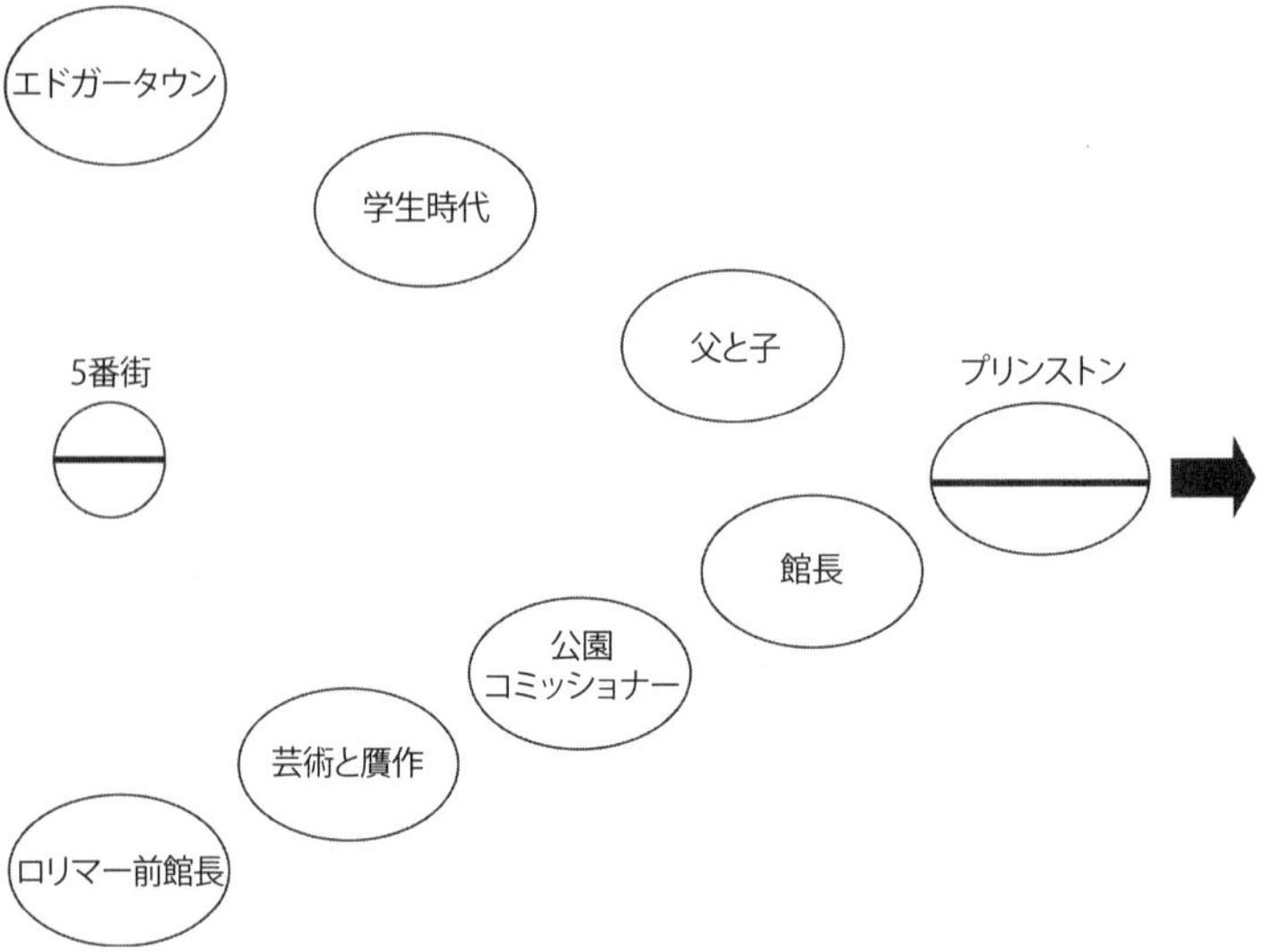

て語らずとも、描き出している。ある人物をめぐる記事もそんなふうに書けるのではないか。

ホヴィングは、控えめに言っても、見込みのない若者だった。何しろ教師を殴って、ニューハンプシャー州の名門寄宿学校、フィリップス・エクセター・アカデミーから退学させられている。プリンストン大学一年生のホヴィングがもっとも得意としたのは、「目にある怠慢」だったという。退校処分を食らったこの困り者の田舎青年は、いかにして美術史家に、そして世界屈指の美術館の責任者になったのか。この問いを発し、答えを出すのが、構成図上にある二本の枝だ。二本がやがて合流するセクションは、二つの長い段落で埋めよう。初めの段落は人物に関する枝を、次の段落で経歴に関する枝を語ろう。質問に答えるのは、いや、少なくとも、答えるはずなのは後の段落である。

*

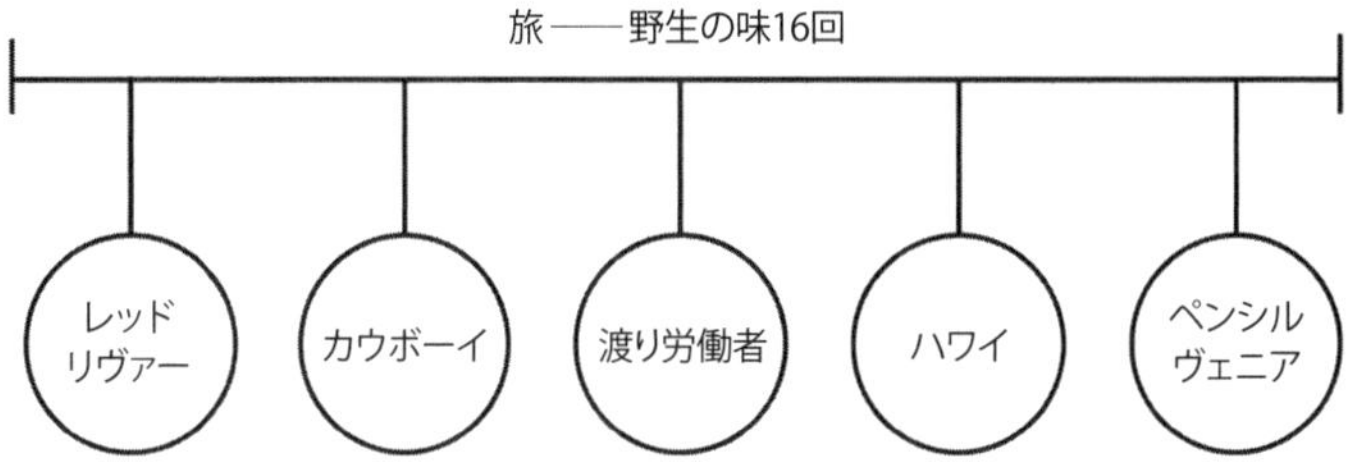

当時わたしはほかの記事も、さまざまな手法を使いながらも時系列に沿って書いていた。その典型と言えるのが上の図だ。ここでは本筋のタイムラインも、彩りのためのエピソードも、左から右へと進む時間の流れに沿っている。

これは一九六八年に、「採食する人（A Forager）」と題して書いた記事である。サスケハナ川とアパラチア山道の一帯でバックパックを背負い、ときにカヌーを漕いで進んだ旅を背景に、ワイルドフード研究家のユエル・ギボンズを紹介した。

＊

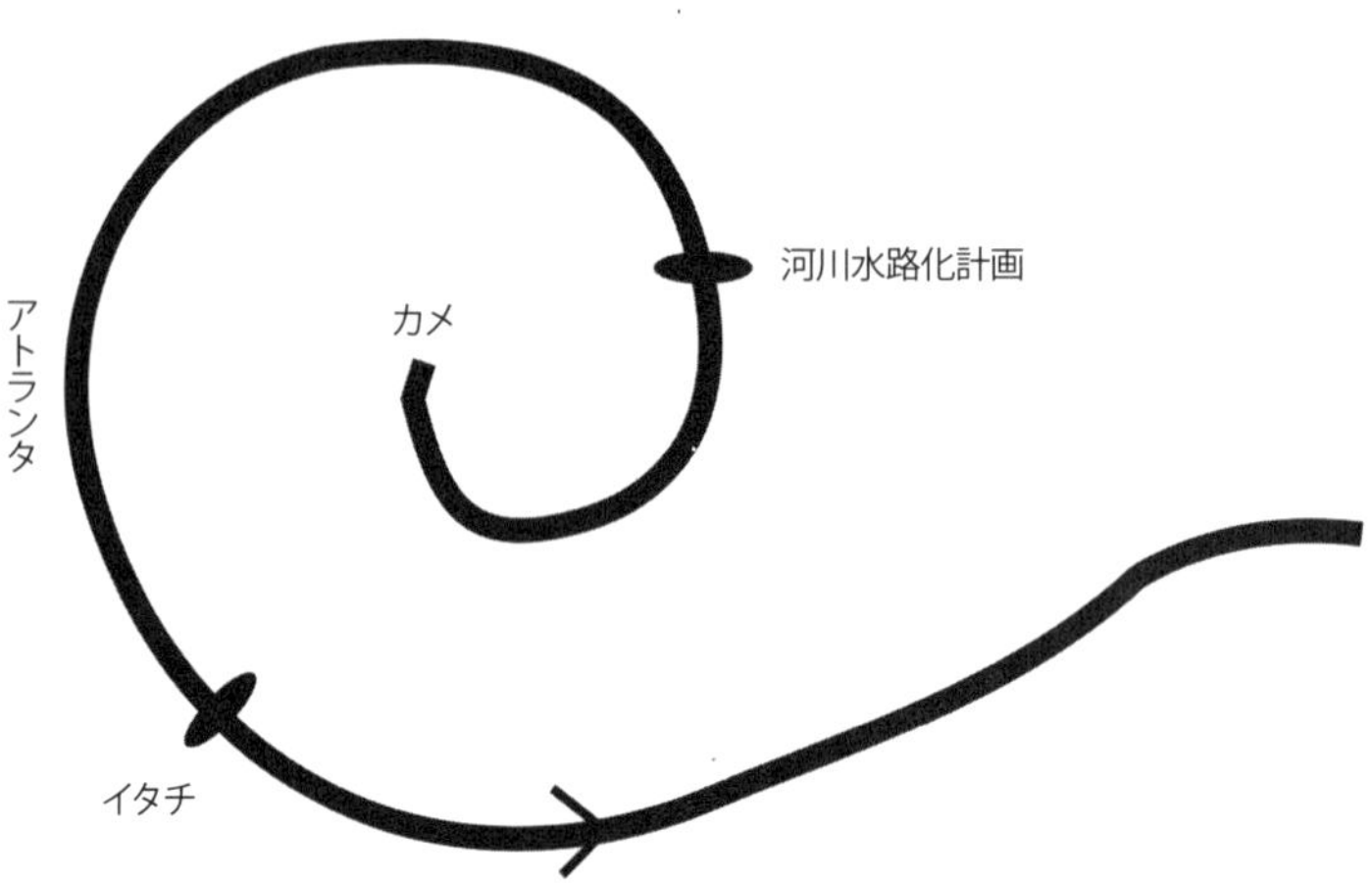

「ジョージア州の旅（Travels in Georgia）」（一九七三年）は州内約一八〇〇キロを旅した記録で、エピソードをたくさん盛り込んだ。冒頭シーンには旅の初日ではなく、後から起きた警官とカミツキガメの事件をもってくればうまくいくんじゃないか、とわたしは考えた。上の図のように、だ。

そういうわけで、この記事は過去の場面《フラッシュバック》で始まり、カメの事件を通り過ぎて進み、残りの出来事を語る。ノンフィクション作家というものは、物事が起きた順序は変えられない。しかし効果的に語れると思うなら、動詞の時制を使い分けるなど、読者にはっきりしたヒントを与えながら、フラッシュバックを自由に使っていい。

＊

これについては、もう少し詳しい例として一九七〇年代に書いた別の作品を取り上げよう。数回にわたるアラスカ紀行をまとめたものである。三年の間にわたしは何回もアラスカを訪れた。夏にも行き、冬にも行った。滞在はほんの一カ月のこともあれば、四カ月にもなったこともある。こうして、それぞれ独自の構成から成る三篇の旅行記を書き上げた。三篇は一冊の本にまとめられ、一九七七年に『アラスカ原野行』として刊行された。その第一部「アラスカの川めぐり」はカヌーとカヤックを漕いでアラスカ北極圏を巡った記録だが、その構成要素を一つずつ見ていくことにしよう。まずこれだ。

17a 18 19 20 21–13 14 15 16 17b

数字は暦日を表している。アラスカ北西部では、ブルックス山脈の分水嶺からカヌーを漕いでキアナの町に着くまでに、これだけの日数がかかるのだ。

北極の世界の何がもっとも印象的かといえば、それは周期性《サイクル》である。気象学上、生物学上のサイクルだ。サケ、シーフィッシュ〔サケの一種〕、カリブー、オオヤマネコ、カンジキウサギの個体数は振り子のように増減を繰り返す。人間の影響を受けないサイクルだ。原野は独特の流儀で機能する。季節のサイクル、一年のサイクル、五年、一〇年、五〇年、いや一〇〇年のサイクル。現在のサイクル、過去のサイクル。言うまでもなく、サイクルこそこの地域を扱う記事の基本的なテーマであろう。この記事は、ある一定の時間における旅を描くのだが、この一定の時間は単なるひと続きの数字ではなく、それ以上のものになれる。ことによると、これを曲げて、次の図のようにぐるりと輪を作れば、気の利いた、いやそれだけでなく意味のある構成になるかもしれない。

そして、書き出しを旅の初日ではなく五日目の17ａにする。それには立派な理由がある。

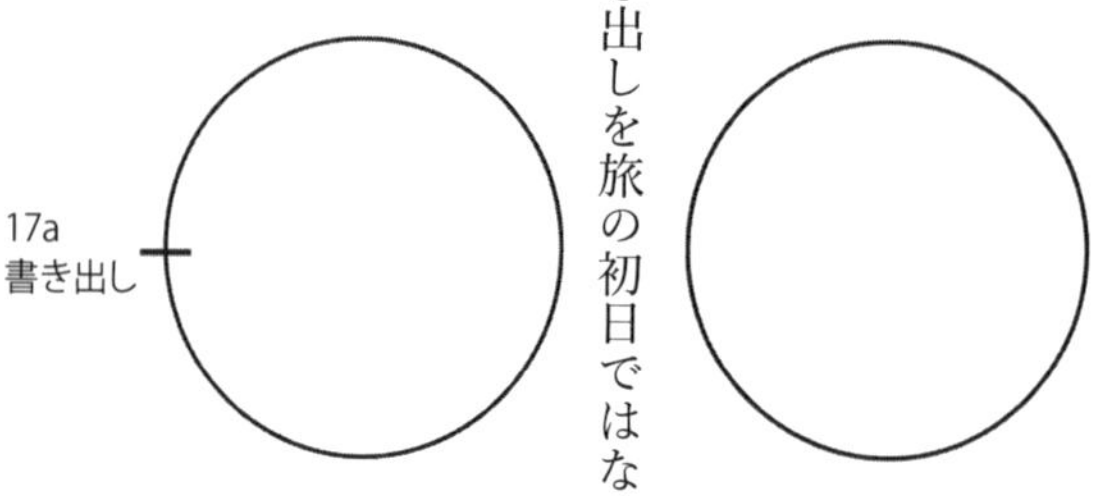

いや、ここでためらうことなんかない。今は旅の真っ最中なんだ。だから動詞の現在形を選ぶことだ。臨場感が出る。

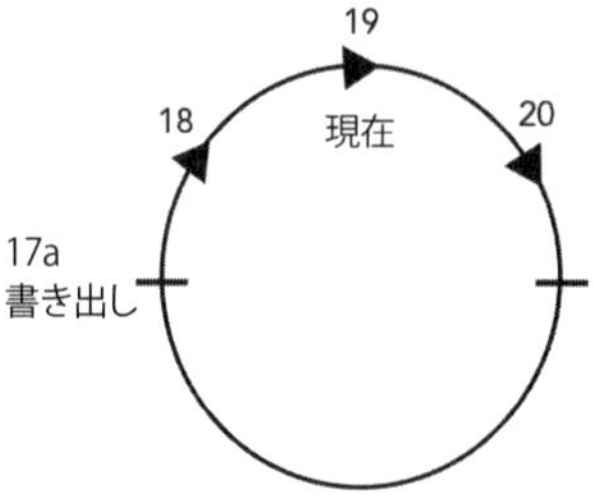

まず川と、一緒に川旅をしている五人を、そして記事が扱うさまざまな議論やテーマを紹介する。そうしながらも、カヌーを漕いで川を下る。だが、突然この旅は終わる。どうなってるんだ、この構成は。いや、記事そのものはまだまだ終わらない。旅が終わってから、フラッシュバックが語られているからだ。

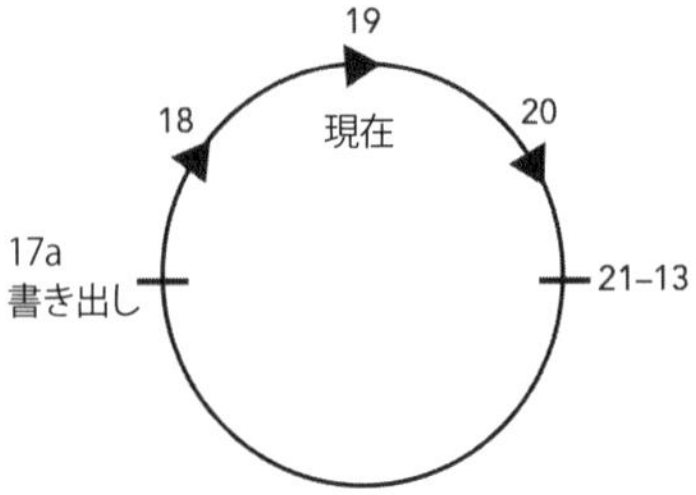

大方の場合と違い、このフラッシュバックはそのまま続き、サイクルをほぼ完結させる。そして、その瞬間に記事は終わる。まずは現在形で、次に過去形で書かれた記事は、それ自体が一つのサイクルになる。

旅の初日、わたしたちはカヌーと一緒にヘリコプターで川の源流近くまで運ばれ、到着後はそれぞれ歩いて辺りを見に出かけた。わたしを含む三人は小さな山の周りを二〇キロほど歩くことにし、一五キロほど進んだ。

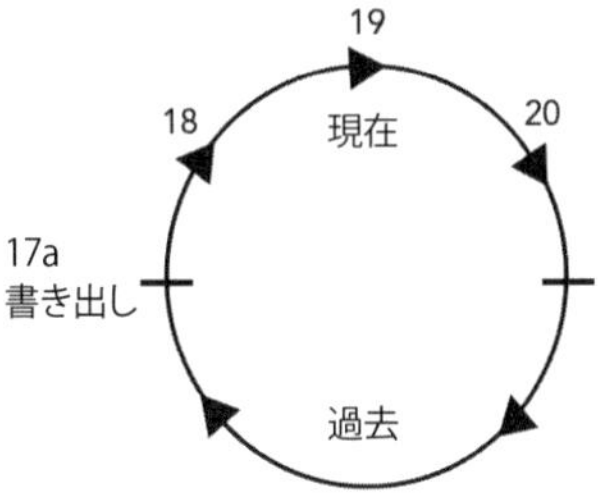

ヤナギランの茂みを抜け、クマコケモモの葉で一面ワイン・レッドの地帯を過ぎる。カーリュー・ベリーもあって、触れると手が濃い紫色に染まる。私たちはいくつか狼の糞にぶつかった。去年の冬のもので、野ウサギの毛がいっぱい混じって白っぽい。すぐ近くにはカリブーの糞がたっぷりあった。下るにつれてコケモモが多くなり、一面のコケモモになる。

フェデラーが立ち止まり、私の腕に手をかけた。見ると、いつもよりもっと用心深い顔つきになっている。明らかに何か気遣っているのだ。彼は私たちがこれから下りていこうとしているほうをじっと見据えていた。彼が目にしたものの正体が、私にもわかった。それはまるで毛皮の小山のように見える。「雄のグリズリーのでっかいやつだ」フェデラーが耳元でささやいた。

熊は私たちから約百歩ほど離れたコケモモの中でむしゃむしゃやっている。うつむいているので背中のコブが高々とはっきり見える。口を動かすにつれて筋肉の大きな塊が伸びたり縮んだりしてゆっくりと揺れる。コケモモだけでなくまわり中の茂みが彼の口の中にすべり込んでいくかのようだ。彼はやせ地のグリズリーにしては図体が大きい。北極アラスカのブラウン・ベア（もしくはグリズリー、今では二つが別のものだとは考えられていない）は、食べ物の豊富な所ほどは大きくならないのだ。不毛の地に住むグリズリーは二七〇キロ以上になることはまれだった。

「もしすぐそばに来たらどうなる？」私が言った。

「そんなことになったらたいへんだ。冗談ごとではすまないよ」とフェデラーが言う。

「あいつから逃げられる人間なんていやしない」ヘッションが言った。

グリズリーは競走馬に負けないし、いちばん速く走る人間の一・五倍の速さで走る。コケモモの中にいる胴回り一四〇センチ、首回り七五センチ以上もある巨体がそんなに速く動けるなどとはちょっと想像もつかないのだが、私は信じることにする。それを試す気など毛頭ない。

（越智道雄訳）

クマとの出会いは、九日間の川下りの旅に出発して間もなくのことで、控えめに言っても、千載一遇のチャンスに恵まれたのだった。これを記事が五分の三ほど進んだところ、つまりドラマティックな効果を上げるには、まさにうってつけのセクションにもってくることができるのも、この構造の利点である。

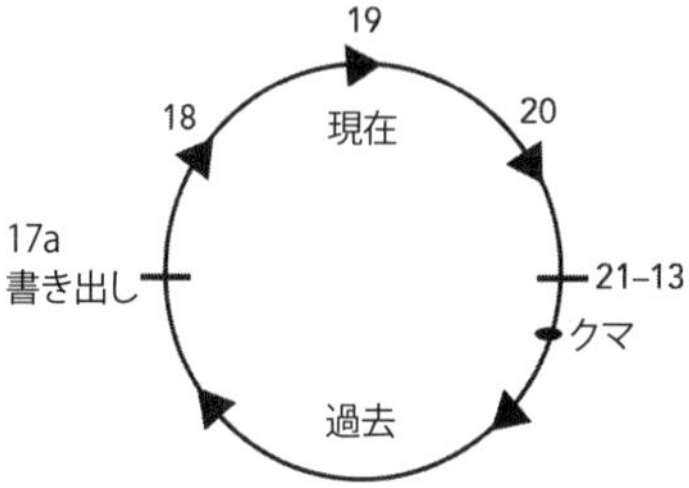

　また、この記事はクマとの出会いが、旅の途中のいつ、どこで起きたかを忠実に記している。これはノンフィクションだ。だから書き手は、このクマをチェスの駒のように勝手に動かすことはできない。だが、事実に忠実でありながら、意味のある効果的な広がりをもつ構成を工夫することはできるのだ。

全編を通してこの記事は、サイクルというテーマをさまざまな手法で繰り返し掘り下げる。一例を挙げよう。冒頭に近い一節だ。

十六世紀には東部アメリカの川は洪水のとき以外は澄んでいた。だが、人々が農耕生活を始め、収穫がなくなるとそこを休閑地にしたので、雨がその土を川に運んだ。こうした過程が繰り返されて、今日このような川を見ても季節によってチョコレート色の濃淡がさまざまに変化するだけで、遠い昔の面影は想像だにできなくなっている。

それにひきかえ、このアラスカの川にとってはまだ十六世紀は終わっていない。それどころか十五世紀、いや五世紀も終わっていない。川は気が遠くなるほどの間ずっと変わらずに自らのバ

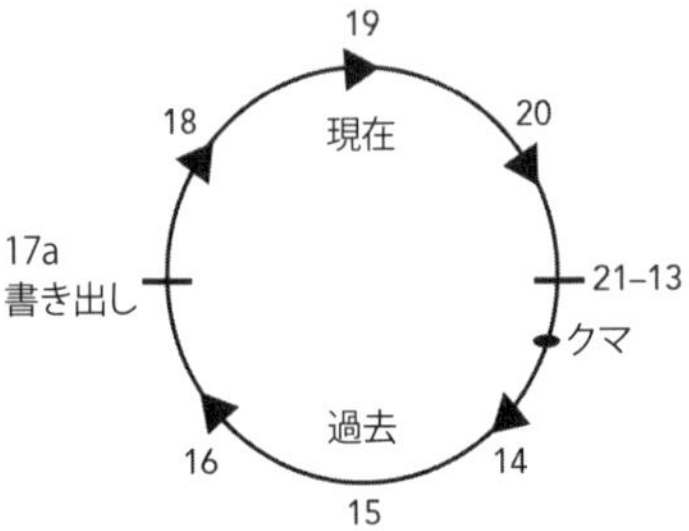

ランスを保って流れている。洪水になれば濁り、ふだんは澄んでいて、一年を一区切りとするサイクル、そしてさらに何年かを一区切りとするサイクルで変化を繰り返し、川もそこに流れ込むどんな細流も全く手つかずの自然な状態を保っているのだ。この川のサイクルは、人の手が加わらず、互いに相呼応し、融合しあっているその他何百という生物学上、気象学上のサイクルの中のたった一つにすぎない。過去から現在に至るまでつねに過去を反映しながら、こうしたサイクルが、この世の区切り目をなしてきているのだ。それは、決して停滞した静的なものではない。何世紀もの間、この谷で人間たちが小さな集団をなして狩りをしたり魚を捕ったりして自然の食物を集めてはいるが、彼らはまだこの谷を変えるほどにはなっていないという特殊な点においては原始時代といってよいかもしれないが、それ以外の点では、この地域が原始時代のまま停滞しているということはできない。

（越智道雄訳）

さらに、結びにかけてこうも言っている。

このような大自然の中に孤立していると、絶えず矛盾した感覚に襲われる。自然は訪問者のこの土地での不適切さを厳しく責める場合には、強烈かつ尊大に訪問客を拒否するが、反面、変転きわまりない自然の営みの中でしっとり落ち着いてどこにも類を見ないほどの美しさで私たちを魅惑する。また、もしこの野生の大地が私たちに対してよそよそしければそれはそれで違和感を与えるし、もし、またそれがときには私たちを怯えさせ、次々にわいてくる恐怖の妄想を押し静めるのに苦労すれば、それもまたそれで一種の活気を添えてくれる。これは自然に挑戦するなどということではなく、これ自体が自然そのものなのだろう。

（越智道雄訳）

そして最後に、このループが完結する寸前に、わたしたちは別のクマと出会う。

まだ若く、おそらく四歳くらいだろう、二〇〇キロを少し出たくらいの雄だ。彼は川を渡りながら浅瀬を上ってくるサーモンの様子を見ている。私たちには全く気づいていない。三艘のボートは身を寄せ合って、軽やかに流れる滑らかな水の上を釣りをしている熊のほうに近づいていった。

彼は、見たところ五キロくらいのサーモンをひょいとつまみ上げて片手に持ち、頭の上でぐるぐると回しはじめた。明らかに腹は減っていない。これは一種の遊びで、サーモン投げをしているのだ。尻尾の辺りに爪を深く突き立てて、サーモンをぐるぐる回し、空中に高く投げ上げて、今度は頭を下にして落ちてくるところを救い上げ、頭を持って振りまわし、また空中に投げ上げる。それを再びつかむともう一度高く投げ上げた。魚がどさりと地面に落ちる。彼はもう飽きて見向きもしない。川の縁に沿って上流へ移動しはじめた。

大きな頭の後ろにコブを突き出し、茶色の毛をまるで風に吹かれた野原の草のようになびかせている。彼は相変わらずこっちへ向かってくる。風は彼の背後から吹いていて、まだ私たちには気づいていない。のんびりとひょこひょこはねるように歩いてくる。船がゆっくりと彼のほうに向かって進む。ジョン・コーフマンを乗せたシングル・クレッパーが短く突き出た木の枝にひっかかって枝がぽきんと折れた。小さな音だが熊はそれを聞きつけてぴたりと立ち止まり、そのまじっと動かず、用心深く四つ脚を踏んばったまま音の正体を見極めようと目を据える。
船が彼のほうに近づいていって、ついに彼の目が私たちを捉えた。そこで私たちは滅多に見られない光景に出合ったのだ。かわいそうに、この熊だって滅多に見られない光景に出くわしたのだった。

（越智道雄訳、一部変更）

このクマは、記事の最後を飾るにはまさにおあつらえ向きの場面を提供してくれるが、これは構成上、そのようにもってきたからだ。このクマに遭遇したのは、川下りの旅がちょうど半分終わった日のことであった。

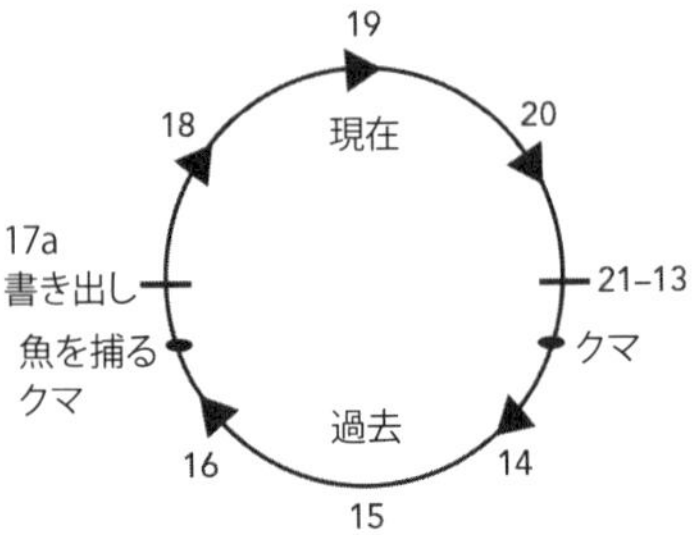

構成は読者に気づかれてはならない。構成は人の骨格と同じで、目には見えないものである。また、ここに示した構成の例が語るように、構成とは題材の上に押しつけるものではなく、題材の中から生まれ出てくるものである——これこそ、あらゆる構成の根本的基準だとわたしは思う。先に示したあの完璧な円は、わたしには役立った。だが、もしこれを一連の事実に押しつけようとすれば、困ったことになるかもしれない。構成はクッキーの型抜きではない。また、たとえばバロック詩のなかには、活字にした場合に一行一行が、花や鳥や蝶など、そこで歌われている主題に似たかたちに並ぶように作られた視覚詩がある。このような工夫も、わたしが構成と呼ぶものではない。記事というものは、どこかで始まり、始まったらどこかへ進み、あるところで落ち着かなければならない。書くときは、議論の余地がない（と、自分が思う）構成を組み立てて書くものだ。始めと中間と終わり

――アリストテレス詩論の基本である。

＊

一九六〇年代から七〇年代にかけて、わたしは構成を考える前に、まず取材ノートのメモをタイプライターで打ち直し、カセットレコーダーの音声を文字に起こすことにしていた。あのころ使っていたのはアンダーウッド5型手動タイプライターだ。かつては最先端の機器だったが、七〇年代にはIBMセレクトリック電動タイプライターに決定的な差をつけられていた。一方、カセットレコーダーはサンヨーTRC5200メモ・スクライバーで、足踏みミシンやリードオルガンのように、ペダルを踏んで作動させる機械だ。メモをタイプで打ち直すのには何週間もかかることがあった。だがこれをすれば、すべてのメモが読みやすいかたちに収まるし、生の材料がある程度まとまって頭の中に入るのだった。

一つひとつのメモは、互いに共通点がほとんどないことが多い。メモはそれぞれ別々のトピックに関するもので、ごくたまに連続したひと続きの内容を語るだけだ。だからわたしは、タイプを打つときに紙送りのローラーを少し回してメモとメモの間にスペースを空けておいた。こうすれば、後でハサミを入れることができる。これはわたしの高度な技法の基本的なステップだった。タイプしたメモを何回も読み直し、構成を考えたら、それに基づいてメモの余白に符号を付け、全体をコピー機で複写する。次にこうしてコピーしたシートにハサミを入れると、大小さまざまなサイズの細長い紙片が何枚もできる。構成が、たとえば三〇の部分から成るとすれば、紙片を三〇個の山にまとめ、ひと山ごとに別々の書類フォルダーに入れる。記事を書き始めたら、各過程でフォルダーから紙片を取り出し、テーブルの上に順々に並べておけば、タイプを打ちながら、時々紙片のメモを参照することができた。いかにも機械的な作業だと思うかもしれない。だが、これはまったく逆の効果を生み出した。たとえば第七フォルダーが目の前にあるとすると、ほかの二九冊のフォルダーは目に入らないから、記事の組み立てのことは、当面はわきに置ける。雑念が入り込む余地はほぼなくなり、その一日、あるいはその一週間で仕上げなければならない仕事だけに集中できる。いわば自分自身を窮地に追い込むのだが、そうすれば自由に書けるようになるのだった。

面倒なやり方だったかもしれないが、ハサミとメモの紙片、それに書類フォルダーと三×五インチのカード、そしてアンダーウッド5型の手動タイプライターは、わたしの大事な執筆道具だった。ただし、一九八四年までは、である。そのころわたしはワイオミング州のある教師について書いていて、この先生が一九〇五年に創刊した雑誌からたびたび引用しなければならなかった。何回も原稿を書き直しながら、そのたびにこの雑誌の記事をタイプライターで打ち直していくという、飽き飽きする作業が続いた。あのころプリンストン大学には、魔法のような力を発揮するコンピュータについて、もう何カ月も盛んに吹聴していた同僚が二人いた。英語学教授のウィル・ホワースと、その下で博士号を取得したばかりのリチャード・プレストンである。当時、コンピュータはまだかなり目新しいものだった。プレストンは大学の情報技術研究室のハワード・J・ストラウスを紹介してくれた。ハワードは以前、ヒューストンのアメリカ航空宇宙局（NASA）でアポロ計画の仕事をしていたが、当時はプリンストンで数学の苦手な人たちの指導に当たっていた。わたしが今日まで十数年にわたって授業や資料調べや執筆のためにコンピュータを使うことができたのは、ひとえにハワードが力になってくれたからこそである。もしハワードが――これは以前にもどこかで書いたが――プリンストンを離れることになったら、わたしは荷物をまとめ、どこにでも彼が行くところに、オーストラリアにさえ、ついていくつもりだった。一九八四年に初めて会ったとき、ハワードはまずこう言った。「仕事をどう進めているか、教えてください」

取材先でのメモ取りから符号付きの紙片の山ができるまでの全過程をわたしから聞き出したハワードは、「ケーエディット（Kedit）というテキストエディターがあって、ソート機能が非常に優れているんですよ」と言った。ケーエディットはマンスフィールド・ソフトウェアグループ社の製品で、テキストエディターといえば、わたしはこれしか使ったことがない。わたしはワープロも使ったことがない。ケーエディットは、ページレイアウトもスペルチェックもしないし、ウィジウィグ機能もなく、文字をイタリック体にしたりヘッダーをいじくったりもせず、類語辞典や辞書や脚注の機能も備わっておらず、ましてやサンスクリット語のフォントもない。だが、ハワードは　わたしがそれまで二五年間やってきたとおりに仕事を進められるように、ケーエディット用のプログラムを作ってくれた。

ハワードは「ストラクタ（Structur）」を作り、「アルファ（Alpha）」を作った。ミニマクロもたくさん作った。ストラクタは「ストラクチャー（Structure）」からeが抜けたかたちだが、これは当時ケーエディットのディレクトリーには、八文字以上のファイル名が使えなかったからだ。こうした問題は徐々に改善されていったが、何しろこれは一九八四年のことで、未来はそこで止まっていた。ハワードは二〇〇五年に他界した。ビル・ゲイツと対極をなす人物だった。ものの見方にしても、収入の面からも、だ。ハワードは、コンピュータというものは、一人ひとりの人間に適応させるもので、その反対ではないと考えていた。カスタムメイドであるべきだ、と。ハワードが作ってくれたプログラムはどれもみな、わたしのニーズにぴたりと対応していた。何であれ「エディター（編集者）」と呼ばれるものがそうであれば、ありがたいことだ。

ストラクタはわたしのメモを爆発させた。一つひとつのメモの行き先（ゴミ箱もその一つだったが）を指定する符号を読み取り、符号の数だけ新しいファイルを作成し、それぞれに名前をつけたのである。もちろん、もともとのメモ一式はそっくりそのまま保存された。わたしが初めて使ったＩＢＭコンピュータのストラクタは、わずか四分ほどでは五万語を調べ、分類してしまった。そこでわたしは、五〇〇〇ドル払って手に入れたこのＩＢＭ機を「五〇〇〇ドルのハサミ」と呼ぶことにした。

記事の初めから終わりまで、わたしは一つのファイルから次のファイルへと順々に書き進めることができた。ただ、ストラクタが作るファイルはかなり大きくなることがある。するとそれぞれをさらにソートしなければならないが、それでもなおソートが必要な場合が出てくる。そうなるとストラクタは逆効果を生んだ。名前のついたファイルをただ増やすだけだから、ディレクトリーは満杯状態になり、記事の書き手はまたあのピクニックテーブルの上で困り果てることになるのだ。いや、テーブルの下に身を隠したくなるかもしれない。そういうわけで、ハワードは次にアルファを作ってくれた。アルファは作業中のメモを内破させる。何も新しいものを作り出したりはしない。ただ、コードを読み取り、ファイルの内部を攪拌《かくはん》し、記事を書くにあたって役立つように区分けし、整理するのである。

アルファは、わたしがケーエディットで使う機能のなかでもっとも重要で、頼りになるプログラムだ。常に一つにまとまろうとする大量のメモを繰り返し処理するこのプログラムの機能は、入れ子構造の道具に似ている。まず全体をソートし、進むにつれ一章ごとに、いや節ごとに中身をソートする。パラグラフ全体の構成要素を整理してくれることもまれではない。このプログラムだけで完全に処理できた記事も少なくはなかった。今でも起動すると、一瞬のうちに作動する。一九三一年生まれのわたしにとってはまさに息をのむ瞬間である。電灯のスイッチを入れるようなものだ。「アルファ起動」をクリックすると、一秒も経たないうちに画面にたとえばこんなメッセージが出てくる。

アルファは一四コード、一三〇一パラグラフ区分を処理しました。七二四六行が読まれ、七九一四行が分類済みファイルに書き込まれました。

一行は一一・七語だ。

ケーエディットの「オールコマンド」機能は、わたしが一定の範囲内で一定の単語や語句を何回使ったか、また同じ単語や語句の間隔が何行あるかも示してくれる。いわば、枯れ葉を寄せ集めるリーフブロワーみたいなものだ。流行語が使われていれば、情け容赦なく指摘する—— hone(磨きをかける)、pivot(かなめ)、proactive(積極的な)、icon(象徴)、iconic(象徴的な)、issues(争点)、awesome(驚嘆すべき)、aura(オーラ)、arguably(ほぼ間違いなく)、あるいは reach out(手を差し伸べる)、went viral(拡散する)、take it to the next level(次の段階に進む)など。また、but を何回使ったら使いすぎになるかも指摘してくれる。だが、この機能が主な標的としたのは、一本の記事の中で何回も使われるべきでない単語や語句である。たとえば、「多数」の意味で使われる legions や、expunge(消し去る)、circumvallate(塁壁で囲む)、horripilation(鳥肌が立つ)、disjunct(分断された)、defunct(現存しない)、amalgamate(合併する)、ameliorate(改良する)、defecate(排便する)など、意味のうえからはまったく問題がないとしても、ある範囲内での使用は一回にとどめるべき語句は数えきれないほどある。こうした単語や語句が一度ならず現れれば、すべて《オール》がオールコマンド機能にはじき出されるわけである。

ケーエディットW――ウィンドウズ用ケーエディット――が発売されると、ハワードはプログラムをすべて書き直してくれた。生やさしい仕事ではなかった。ところが、ハワードが亡くなって二年後の二〇〇七年、わたしの受信箱に一通の長いメールが入ったのだった。宛先は「ウィンドウズ用ケーエディットご利用のお客様各位」とあり、件名は「ケーエディットに関するお知らせ」となっていた。その一部を紹介しよう。

　弊社は一九九六年、ケーエディットの最新版「ケーエディット・フォア・ウィンドウズ1・5」を発売いたしましたが、同プログラムの「新機能」の発売につきましては、もはや前向きな活動を行っておりません。ここ数年来、販売数が漸減しており、事業の段階的縮小もやむなきに至っております。

発信人欄には、コネティカット州ストアーズ、マンスフィールド・ソフトウェアグループとあった。自分が何かとてつもない力で遠くへ追いやられていく――そんな感じがし始めた。わたしはその日のうちに返信メールを送り、これまでの二三年間にケーエディットを使って五〇万語を書いてきたが、この先どのくらい使い続けられるのかと問い合わせた。その後もメールのやりとりが何回か続き、いろいろ役に立つ情報をもらったが、最後のメールにはこんな言葉が書かれていた。

ケーエディットあるいはこれらマクロ機能をお使いになるうえで、今後不具合が生じましたら、お知らせください。必ずわたし自身が直接お手伝いいたします。というのも、弊社にはわたし一人しか残らないでしょうから！

差出人の署名はケヴィン・カーネイとあった。

そこで、ある日わたしはボストンへ行く途中に、コネティカット大学の町ストアーズに立ち寄った。カーネイに会って、ハワード・ストラウスがしてくれたことを見せたかったのだ。バスケットボールの楽園と呼ばれるこの町で、カーネイと妻のセイラは、キャンパス近くにある、完璧に手入れの行き届いた小さな赤い家に住んでいた。以前は大学バスケットボール・チームの監督が住んでいた家だという。見たところ二人ともまだシュートができそうなほど若く、元気そうだ。わたしにとっては特別に心強いことだ。カーネイはメトロポリタン美術館のTシャツを着て運動靴を履いている。表情も態度もきびきびしていた。白髪交じりの黒い髪を短く刈り込み、澄んだ瞳に狡猾さはみじんも見られない。好感の持てる、純真な人だ。

間もなくセイラは用事で外出した。残されたわたしたち二人の目の前のダイニングテーブルには、ハマグリみたいにぱっくり口を開けたラップトップが並んでいる。カーネイが初めてパソコンを買ったのは、わたしよりわずか二年ほど早かっただけだと知って驚き、尊敬の念を新たにする。考えてみると、わたしたちはまったく異なる進路をたどったのだった。わたしは完全な無知という暗い洞穴から抜け出し、カーネイは汎用大型《メインフレーム》コンピュータに別れを告げた。その二人が今こうして膝突き合わせている。

カーネイはコネティカット州南部ニューヘイヴンとその近郊のマディソンで育ち、コネティカット大学に進んだ。専攻は数学だったが、それよりもコンピュータ・サイエンスに惹かれたという。まだパソコンが生まれる前の時代で、みんなが大学のメインフレーム・コンピュータ――クラウド・コンピューティングの先祖のようなシステムと言える――を使っていた。学生一人の端末装置につき、大学は月一五〇ドルを負担していたが、使えるのは大文字だけで、小文字も使える端末を使うとなると、費用がもう三〇ドルかかった。一般的にコンピュータは、ワープロとして使うには高すぎると見られていた。

コネティカット大学史上初めてコンピュータで卒論が書かれたのは、一九七六年のことである。薬学専攻のある学生が大学のメインフレームを使って書いた。カーネイ自身はその一年前に卒業していて、当時は同大学のコンピュータ・センターで働いていた（そして、そこでセイラと出会った。セイラはメリーランド出身でアメリカン大学の卒業生、やはりコンピュータ・プログラマーだった）。当時カーネイはまだパソコンを持っていなかったし、何であれ五〇〇〇ドルもする装置を買う余裕はなかった。一九七七年から発売されていた「アップルII」には興味がなかった。「おもちゃみたい」で、それにディスプレイの幅がわずか四〇文字しかなかったからだ。一方、ＩＢＭパソコンのディスプレイは幅八〇文字だった。カーネイは父親の助けを借りてＩＢＭ機を一台買った。一九八二年当時の五〇〇〇ドルは、この稿を書いている時点では約一万三〇〇〇ドルに相当する。

学部生からプログラマーまで、メインフレームを使う人たちはみな進化中のさまざまなテキストエディターを使っていた。なかでも「エクスエディット（Xedit）」は人気があった。ＩＢＭ社のゼイヴィアー・デ・ランベルテリが作成し、一九八〇年に発売されたこのエディターをすっかり気に入ったカーネイは、自腹を切って専用のマニュアルを四〇部もそろえ、学生や職員たちに配って回ったという。その後、IBMパソコンが登場し、初めての一台を手にしたカーネイは、パソコン用エディターにメインフレーム並みの機能を持たせるにはどうしたらいいかを考え始めた。「エクスエディットはメインフレームでしか使えない言語を使っていました」と、カーネイは当時を語る。「メインフレーム用のアセンブリ言語で書かれた機械語といってもいいかもしれません」。必要なのは、メインフレームのプログラマーたちが自宅の自分のパソコンでも使えるテキストエディターだった。企業が従業員用のパソコンをそろえ始めたから——たとえば、保険会社のプログラマーは、夜は家に帰って自分のパソコンで仕事をするようになった——需要は拡大した。そこで当時二十八歳のカーネイは、目的達成のためにエクスエディットのクローンを作り、それに「メインフレームにはない、ちょっとお利口な機能を付け加えていきました。メインフレームでは、たとえばスクロールもできなかったし、次の行へのワードラップ機能もなかったんですから」。

一九八二年、カーネイは約四カ月をかけてケーエディットの最初期バージョンを作成した。それは生まれたばかりのクマの仔のようなもので、のちに到達するバージョンのほんの一パーセントほどの機能しかなかったという。カーネイの話は続く。「エディターには二種類あるんです。一つは情報を文字として見るんですが、ケーエディットは一連の行として見ます。ある意味で、キーパンチのような原始的なとらえ方ですね。それぞれの行は一枚のカードみたいなものなんです」。カーネイは続けた。「エクスエディットのいくつかの機能からスタートし、それにほかからの提案を付け加えていきました」。カーネイは「使いやすいテキストエディター」を作りたかったのだと言ってから、ちょっと黙り、こう付け加えた。「ヘンなワープロではなく、優れたテキストエディターを、ね」。さらにカーネイは、自分が何かを発明したかのような印象を与える記事は書かないでほしいと言った。「わたしはただ、いろんなアイディアを詰め合わせて、便利に使えるようにしただけです。IBMだって悪い気はしなかったと思いますよ。文句が出る気配なんか、感じませんでした」

そのとおり、スティーヴ・ジョブズがビル・ゲイツにぶつけたような文句は、たしかにどこからも出なかった。一九八三年、ジョブズは、アップルが開発したマウスで動くグラフィカル・ユーザーインターフェースをビル・ゲイツが盗んだと非難したのだった。二人が角突き合わせた場面に居合わせたマッキントッシュのシステム・デザイナー、アンディー・ハーツフェルドによれば、ジョブズは大声でこうなじったという。

「騙したんだ、きみは。こっちは信用してたんだぞ。それなのに、盗んだじゃないか」。ビル・ゲイツは落ち着き払ってジョブズの顔をじっと見ながらその場に立っていたが、やがてあのキーキー声でこう言った。「そうかな、スティーヴ。考え方はいろいろあるさ。こうも言えるんじゃないか。ぼくたち二人の隣にゼロックスという名の金持ちが住んでてさ、ぼくがその家からテレビを頂戴しようと思って押し入ったら、君がもう盗んでいたというわけさ」

当時、まだ三十歳にも届かなかったカーネイ――ジョブズやゲイツをはじめ、デジタル業界はそんな若者たちばかりだった――は、広告料が安いコンピュータ関連雑誌にケーエディットの広告を出すことにした。注文が入り始めた。やがて「マンスフィールド・ソフトウェアグループ」の本社が、カーネイのアパートに設立された。カーネイは大学の売店で三つ穴バインダーを買い込み、自分が書いた作業手順をコピーして「ケーエディット使用説明書」を作り、ケーエディットのフロッピーディスクに添えて顧客に送った。一九八四年三月、ボストンで開かれた会議でハワード・ストラウスと知り合いになった夫妻は、ケーエディットを見せたときの彼の反応に困惑したという。依然としてメインフレーム全盛時代の思考から抜け出ていなかったストラウスは、勢い込んでケーエディットを批判し、たとえば「プレフィクス領域がありませんね」などと言ったという。ＩＢＭのプログラマーたちが慣れ親しんでいたプレフィクスとは、行頭に付される五個の等号（＝＝＝＝＝）から成り、技術的な理由からメインフレーム用端末の編集用コマンドで広く使われていたものだ。カーネイ夫妻はこのほかにも、たくさんのことをストラウスと話し合い、有益な助言を山ほどもらった。一カ月後、ストラウスが電話をしてきた。もう少し話し合いたいという。結局、ケーエディットは初めてのサイトライセンス契約をプリンストン大学と結ぶことができた。

その当時、マンスフィールド・ソフトウェアグループ社の名簿にはたった一名――フルタイムの起業家――しか載っていなかった。翌年、マンスフィールド社はキャンパス内で一種の私有地となっていた酒屋の二階の貸しオフィスに移った。一九八〇年代後半から九〇年代の初めにかけて事業は好調で従業員数も増え、一時は一二人を抱えるまでになった。一九八七年、ウィスコンシン州オシュコシュ市にあるモーガン・プロダクツのバーバラ・トレハノから一通の手紙が届いた。この女性は郵送されてきたケーエディットを受け取ったが、「梱包箱もパック材もバインダーも、外のごみ箱に捨てなければならなかった」と書いてある。「ひどくニンニク臭かった」からだ。増える一方の従業員たちは、ニンニク臭いサンドウィッチが好きだったのだろう。フロッピーディスクも臭かった。

一九八〇年代、「ケーエディット／セム語」という新バージョンがプリンストンで開発された。この版では、カーソルはまず行のいちばん右に現れ、左へと動いていく。ヘブライ語やアラビア語の文字は右から左へ書くからだ。ユーザーは今、国内に、いや世界にどのくらいいるんでしょうか、とわたしは尋ねたが、カーネイは「いや、減ってしまいましたよ」としか言わなかった。それでも、サポート要請のメールを週に一〇通ほど受け取るそうだ。

「問い合わせてくるのはたいていプログラマーでしょう？　それとも、わたしみたいにＩＴに疎いユーザーもいるんですかね」

「そう、いますよ」

ケーエディットは、プリンストンの学内で大ヒットというわけにはいかなかった。わたしは学内のユーザーたちを知っていたが、その一人に科学史の専門家でジェファーソン奨学生だった学者がいた。同じソフトウェアのユーザー同士ということで、わたしたちは会うと、互いに共犯者めいた目配せをして会釈したものだ。いまや、この大学でケーエディットを使っているのは、おそらく一人だけだろう。「そんなわたしは、いわばデジタル時代の化石なんですよね」と、少し前のことになるが、わたしは情報技術者のジェイ・バーンズに訊いてみた。すると「そうですね」と言う。だが、こうも付け加えた。「でも、自分に合ったものを見つけられたし、それを使いこなしていらっしゃる。流行を追ってほかに乗り換えたりなさらなかった」。そのとおりだ。トレーシー・キダーが一九八一年のピュリツァー賞受賞作『超マシン誕生（*The Soul of a New Machine*）』〔糸川洋訳、日経ＢＰ社、二〇一〇年〕で述べているように、「機能するソフトウェアは貴重だ。ユーザーが無頓着に捨てることはない」のである。

ケヴィン・カーネイは「わたしは半ばリタイアした身ですから、注文はあまりたくさん来ないほうがいいんです」と言い、さらにケーエディットは「一時代を画す」ソフトではあったが、その時代とは今日ではないことを、はっきりと書いてほしいとも言っていた。このわたしはその生きた証拠なんだと思う。

*

プログラムを作り、拡張し、更新してもらうたびに、わたしはハワード・ストラウスに礼を言ったが、彼はきまって「いや、何でもないよ。どうってことない、簡単なことなんだ」と答えるのだった。

わたしは執筆講座で記事の構成を説明するとき、チョークで黒板に図を描くのが常だった。何年もそうしていたが、一九九〇年代末のある日、自転車で転び、肩の腱板をひどく傷めて手術を受け、その後何カ月もリハビリをすることになった。こうなるとチョークの板書をあきらめて、ほかのやり方を考えなければならない。当時、わたしは六十八歳。しばらくは、透明シートとオーヴァーヘッド・プロジェクターを使ってしのいだが、やがて、ハワード・ストラウスがまた、計り知れないほどありがたい助け舟を出してくれた。

ストラウスは、それまでにわたしが書いた記事の構成図を、パワー・ポイントで現代風に描き直してくれたのである。わたしが初めてパソコンを買う前に書いた数々の記事の構成図も含まれていた。二〇〇五年、生涯の最後の数カ月間にも、ストラウスはまだわたしが描いた大まかな略図を見栄えのする図面に描き直す作業に取り組んでいた。構成が複雑でわかりにくいときは、色の使い方も工夫した。学生たちはよく「わあ、このパワー・ポイントの図はすごいですね、どうやってこんなふうにするんですか」と感心したものだ。「いや、何でもないよ。どうってことない、簡単なことなんだ。ハワード・ストラウスという人がやってくれたんだよ」と、わたしはいつも答えることにしている。

教室でわたしは「囲まれた川（The Encircled River）」という記事の構成を例にとり、おおよそこんなことを学生たちに話していたものだ。「これは旅行記です。空間と時間を通して行われたあの旅を追うという、時系列に沿った構成の一つの型がここに表れているわけです。別の型の構成を選んでもいいが、その場合、時系列に沿った構成と比べるとややこしく、わかりにくくなることがあります」などなど。旅行記は時系列に沿った構成を求めるという、わたしの信条を毎年繰り返し説いていたわけだが、それも二〇〇二年以前のことである。つまり、わたしがジョージア州のトラックストップを出発する前の話だ。そこからまず州内の製品出荷場に行き、それからサウスカロライナ州のタンク洗浄施設とノースカロライナ州の危険物製造工場へと回り、次にアメリカ大陸を横断してワシントン州まで、ドン・エインズワースという男が所有し、運転する全長二〇メートルほどもあるケミカル・タンクローリーに乗っての旅だった。

ちょっと想像してみてほしい。目の前にあるのはまだ大量のメモだけというときの書き手の気持ちを。アメリカの東海岸から始まり西海岸へと続く旅行記を、これから書こうというのだ。そんな旅行記を書いた作家はいるだろうか。いや、書かなかった作家はいるかな。このわたしでさえ、似たような作品を書いたことがある——北アメリカの地質をテーマにした『前世界の歴史（*Annals of the Former World*）』だ。これが踏みならされた道だと気づくにはメリウェザー・ルイス、ジョージ・R・スチュワート、ジョン・スタインベック、バーナード・デヴォート、ウォーレス・ステグナー、ウィリアム・リースト・ヒートムーンら、名作家の旅行記や評論を思い出すだけで十分だ。たとえばここでジョージア州サヴァンナを出発して西へ向かう旅を書くとしよう。ミシシッピ州ビロクシを通り過ぎるまでの出来事を、読者の眠気を誘わずに語れるだろうか。出発地がメリーランド州ボルティモアならカンバーランド山峡まで、ニューヨークならせいぜいハッケンサック川までなら語れそうだ。だが、それがボストン出発というなら、もう回れ右をしたほうがいいかもしれない。そう、構成に関しての考え方も、回れ右をしよう。先入観を捨てるのだ。この旅行記の場合、時系列に沿った語りはぱっとしないし、それに、マイナス効果も生むだろう。

エインズワースとわたしは五年間も手紙をやりとりした末に、ジョージア州バンクヘッドで初めて顔を合わせた。そこでエインズワースのトラックに乗り込んだわたしは、ワシントン州タコマで降ろしてもらった。約五一三三キロメートルを彼と一緒に旅したことになる。

この五一三三キロという事実を記事の初めのほうにもってきて過去時制で語れば、テーマ中心の構成を組む道が開けるかもしれない。冒頭で、西部へ向かう途中のどこかを取り上げよう。そうすれば、読者は旅の長さやおおよその旅程の感触を得ることができる。テーマの詳しい点はさまざまな種類のものを融合し、地図上の各地からエピソードのかたちで語っていこう。トラックストップ、石油経済、運転手の人口、エインズワースの性癖など、エピソードの種はいくらでもある。さて、どこから始めようか。

ワイオミング州にグレート・ディヴァイド・ベイスンと呼ばれる約一万平方キロメートルの地域がある。ここは、二手に分かれてまるで撚《よ》りがほどけた古いロープのような格好になった北米大陸分水嶺に囲まれ、太平洋にも大西洋にも水の流出先をもたない盆地である。ここを、わたしたちは化学薬品を積んだタンクローリーで通り抜けた。ここから書き始めれば、意外に面白いかもしれない。

冒頭は時系列に沿って（西部へと向かう）旅の経過を書き、続いてさまざまなテーマを集めてとこ

グレート・ディヴァイド・ベイスン

ろどころに入れたら、結びでは冒頭で中断した話の続きを拾い、目的地まで最後の数マイルの様子を語ろう。こうすれば時系列に沿った語りは、冒頭の一本と結びの一本という二本の引き紐でテーマがぎっしり詰まった袋の口をしっかり締めることができる。

いい着想だ。だが、グレート・ディヴァイド・ベイスンはやめておこう。ここは東に寄り過ぎている。ここより西のアイダホやオレゴンなどの話題がたくさんあるから、それらをテーマ中心のグループに入れるべきだろう。

そういうわけで、東海岸から西海岸への横断の旅を語るにあたって、まず筆者の自己紹介として、ニュージャージー州で受ける羽目になった違反運転者講習の思い出を書いてから、オレゴン州東部の標高一〇〇〇メートルにある難所デッドマン・パスとキャベジ・ヒルで、エインズワースがビキニ姿の女の子に敬意を表したエピソードから始めることにした。

TSG

アトランタからノースカロライナ州シャーロットを通り、オレゴン州ノースパウダーまでのドライブで、エインズワースがクラクションを軽く鳴らすなんてことをしたのは、まったくこのときが初めてだった。実際、五一三三キロを走る間に、彼がクラクションを鳴らしたのはたった四回きりだった。

これにテーマに沿った七つのセクションを続ける。それぞれをセクションⅠ（コードはＴＳＧ）と同じようなコンセプトで書いていこう。
超大型トラックについて記事を書くとき、どうしても避けて通れないのはトラックストップというものを描写し、その特質を説明することだろう。この記事ではミズーリ州キングダム・シティ、ジョージア州バンクヘッド、ケンタッキー州オーク・グローヴ、ワイオミング州リトル・アメリカなどにあるトラックストップを主に取り上

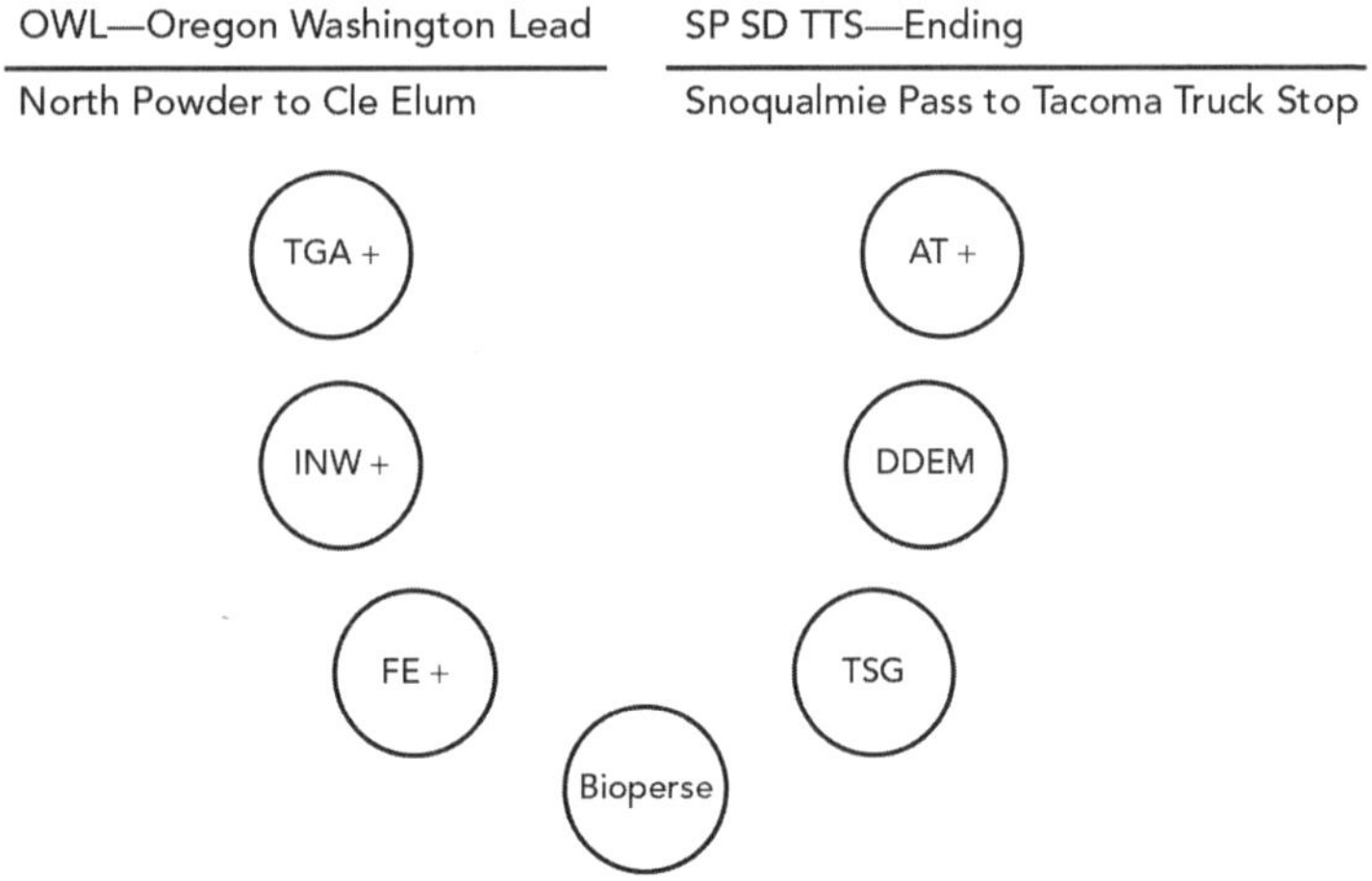

げた。

タンクローリーは液状にした爆発物を運ぶ。安全対策の行き届いたトラックストップには「安全区域」が指定されている。つまりタンクローリー専用の、エインズワースに言わせれば「ローリーの積み荷に火がついたとき、そばにいるのはごめんだという連中から、隣町とは言わないまでも、せめて少し離れたところにある」駐車場のことだ。

……

わたしが思うに、トラック運転手とは、一般的に言って、大柄で、やさしい話し方をする肥満の男性たちだ。熱気球と見紛うばかりのお腹を抱えている人も多い。なかにはトラックに自転車を積んで持ち運ぶ人もいるが、そんな人はステンレス鋼製の化学薬品ローリーを所有し、運転する人と同じくらい珍しい。

簡単に言えば、この記事の構成は上の図のようになった。

＊

メモを何回も読み返し、手元にある資料についてあれこれ考え抜いても、書き出し《リード》が決まるまでは構成を組み立てられないことが多い。メモの洪水の中をさまよい、行き詰まってしまう。考えがまとまらない。どうしていいかわからない。そんなときはすべてにストップをかけることだ。メモは見ない。心の中を探し回ってふさわしいリードを見つけ、そしてそれを書く。そう、リードを書くのだ。あまり長くない記事の場合、冒頭で一気に飛び込んだら向こう側に浮かび上がり、原稿はあっという間に書き上がっているかもしれない。だが、かなりの内容と複雑さと効果的に配置された構成をもつ記事を書きたいなら、まずは使える無難なリードを書き、いわばそれを手元に置いてゆっくり構え、これからどこに行くか、どうやって行くかを考えるのも一つの手だ。つまり、リードを書くことで、構成面の問題が明らかになり、記事を全体として見る——一つひとつの部分を概念的にとらえ、それぞれに資料を割り当てる——ことができるようになる。リードを見つけ、骨組みを作れば、あとは自由に書けばいい。

リードに関する以上のような考察は、数年前『ウォールストリート・ジャーナル』紙の「言葉の技巧」欄で活字のかたちで紹介されたわたしの講義録に基づき、その一部を少し変更・加筆したものである。ここで、あえて提言しよう。生の資料の山を仕分けて骨組みを作る前に、常にリードを書く（そして、それを満足するまで書き直し、磨き上げる）べきである、と。

それでは、リードとは何か。一つ言えるのは、リードは記事を書くうえでもっとも難しい部分だということである。非常にまずいリードを書くのも、不可能ではない。そのひどい例を、慢性不眠症についてのある記事から紹介しよう。「不眠とはマットレスに対する精神の勝利である」。このリードのどこがいけないのか。ドタバタコメディを書いていて、お粗末なユーモアを利かせたいならこの一文も結構だ。だが、この題材をまじめに取り上げようとするなら、このリードはまずい。作者は内容に自信がなく、それを気の利いた言い回しで取り繕っているような感じを与えるからだ。

リードが決まれば、作品はもう半分書き上がったようなものだ、と多くの作家は言う。たしかに、試行錯誤を繰り返しながら優れたリードを見つけるには、それほど多くの時間がかかるのである。どんなことから書き始めてもいい。いくつかの選択肢が浮かぶだろう。さて、そのなかからどれを選ぶか。選んではいけないのはどんなリードかを指摘するのは簡単だ。安っぽく、派手で、大げさで、まるで鳴り響くファンファーレに続いて、ネズミが一匹、目をぱちぱちさせながら穴から出てくるようなリードはお断りだ。

目隠しリード《ブラインド》——主題の人物の名前を冒頭では伏せて置き、次かその次の段落で紹介する書き方——は、やや低俗から非常に低俗なものになる。いやいや、自分もそんなリードを書いたことがあると言って気に病むことはない。わたしだって、書いたことがある。この種のリードはそれ自体がまずいわけではないのだが、あまりに見え透いているではないか。そんな甘い方法は、ごくまれに使うにとどめておこう。ブラインド・リードは、帽子からウサギを取り出すマジックみたいなもので、ウサギの耳は最初からまる見えなのだ。そんなリスクを承知のうえで、つまり、そういった方法のどこが問題かを理解したうえで、それでも書いてみようと思うなら、どうぞと言いたい。わたしが書いた記事のなかにも、ブラインド・リードが圧倒的に正しい選択だと思えたものが何作かある。だが、そんなふうに思えるのは、めったにないことだ。

リードは、どんなかたちのものであれ公正でなくてはならない。続く文に出てこないものを約束してはいけない。狭い街路でのドキドキするようなカーチェイスをリードで描き、記事の中身は私立大学の債務構造だとしたら、読者を騙すことになる。リードは、タイトルと同じく記事全体を照らし出す閃光のようなもので、一種の約束である。記事はこんなふうになるとリードは請け合うのである。もしそうでないなら、リードはいらない。リードには、長いものもあれば、短いものもある。ここでわたしが言うリードとは、書き初め数行の文だけではなく、場面を設定し、記事の奥行きを示す冒頭部分のことである。それには、ほんの数語で十分かもしれないし、数百語が必要かもしれない。二〇〇〇語のリードがその数倍もの長さの記事の場面を設定することもあるだろう。躍動感に溢れ、大砲をぶっ放ち、汽笛まがいの大音響を響かせるリードが優れているとは限らない。リードの良し悪しは、後に続く記事の内容に忠実かどうかで決まるのである。

もう一つ、書き進めるためのちょっとした策を紹介しよう。手で書くことだ。リーガルパッドでも何でもいい、用箋を手元に置き、いつでも行き詰まったら——言葉を一つずつ積み重ねていく力がなくなり、どうにも書けなくなったら——コンピュータから離れ、鉛筆と用箋を持ってどこかに寝そべり、もう一度考えることだ。この方法は、記事をどこまで書き進めたかに関係なく常に、それにまだ何も書き始めていないときはとくに驚くほどの効果を発揮する。遅かれ早かれ何かを考えつくものだから、そうしたら起き上がらずに寝返りをうって、用箋に書きとめればいい。言葉が浮かんでくるままに走り書きを続けるのだ。それから立ち上がって、用箋に書きとめたことをコンピュータのファイルに打ち込めばいい。

重要なのは記事を書き上げることである。どうやってそこまでもっていくかは、人によって違う。わたしの場合、手書きとコンピュータ入力とを交互に行うことで、ほぼ常に前に進むことができたが、誰もがそうとは限らない。だが、これでうまくいくことがあるかもしれない。わたしの知り合いに、ほぼあらゆる作家に対して大いなる軽蔑の念を抱いていた編集者がいた。この人は羽ペンを使って文を書いていた。独特のやり方といえば、アン・タイラーに並ぶ人がいないのは確かである。この事実は、『もしかして聖人（*Saint Maybe*）』〔中野恵津子訳、文藝春秋、一九九二年〕、『アクシデンタル・ツーリスト（*The Accidental Tourist*）』〔田口俊樹訳、早川書房、一九八九年〕、『ブリージング・レッスン（*Breathing Lessons*）』〔中野恵津子訳、文藝春秋、一九八九年〕、『ここがホームシック・レストラン（*Dinner at the Homesick Restaurant*）』〔中野恵津子訳、文藝春秋、一九九〇年〕といった名作の域に、コピー機なしでは誰も近づくことができないのと同じくらい確かなことである。「書くことに関しては、自分なりのこだわりをいろいろと持っています」と、作家協会の会報でタイラーは述べている。「本を書くのは週五日。週末や法定休日には書きません。万年筆はパーカー75に、62というマークのあるペン先を付けて使っていますが、恐ろしいことに、もう製造されていないことがわかりました。インクは黒、それと罫線の入っていない白い用紙を使います。稿を仕上げるたびに、手書きで書き直しています。最終的に原稿はコンピュータに打ち込んでもらうのですけれどね。わたしにとって書くことは手芸みたいなものなのです。小説を編んでいる、という感じです」

作家で環境保護活動家のウェンデル・ベリーは一九八七年、「わたしがコンピュータを買わない理由」と題するエッセーを発表した。「農場の仕事は、主に馬と一緒にするし、書き物をするときは鉛筆かペンを使って紙に書く。……露天掘り採掘された石炭に直接頼らなければ、作家としての活動ができないなんて、考えたくもない。……同じ理由から、わたしにとっては大切なのは、昼間のうちに電灯を使わずに、書き仕事をすることだ」

ある年の授業でエヴァン・S・コネルの名作『サン・オブ・ザ・モーニング・スター（*Son of the Morning Star*）』の講読をしたことがある。コネルの腕前にはほとほと感心させられる。一つのことに、まずさりげなく触れ、一五ページほど進んだところでそれを少し膨らませ、さらに二〇ページ後に説明を加えて、少しずつ読者の興味をかき立てながら完結したエピソードに仕上げていくやり方で、とくに見事なのが先住民の指揮官ゴールの物語である。初めて登場するゴールは、ひと言ふた言、興味深いことを言う。二度目の登場ではさらに気になることを言い、その先数百ページにわたって時折顔を出しては、印象深い言葉を残す。この本はノンフィクションだから、こうした言葉はすべて調査して得た引用句である。読者はページを繰るほどに、深い知性を備えた英雄ゴールに対する興味をいやがうえにもかき立てられ、著者の喉元をつかんでもっと語れと叫びたくなる。その時点でようやく著者は、偉大な部族ハンクパパ・ラコタの戦士の生い立ちとその人となりの詳細を美しく語るのである。

わたしは授業で、この本の冒頭から生い立ちの語りまでの間に、指揮官ゴールが言及されている箇所をすべて例示したかった。あいにく『サン・オブ・ザ・モーニング・スター』の索引はごくごく短いので役に立たない。そこでわたしは、一度も会ったことのないエヴァン・S・コネルに手紙を書いて、コンピュータ内の本文からゴールが言及されている箇所をすべて探し出してもらえないかとお願いした。ほんの数分で片づく作業だと思ったからだ。ところが、「コンピュータですって？」が、コネルの返事であった。「コンピュータですかあ……」。コネルにとって、最先端機器とはオリヴェッティのポータブル・タイプライターのことだったのである。

コネルとこんなやりとりをしたのは二十世紀も終わりに近づくころであった。二〇一一年には教え子のリリー・ウッドが手紙をくれた。リリーは故郷のアラスカについて本を書いていて、執筆にはコンピュータの代わりにタイプライターを使うことにしたという――「一九七〇年代のレミントン・プレミアをポートランドのオンラインショップから買いました。ブルー・ムーン・カメラ・アンド・マシーンという店です。とてもきめ細かく対応してくれて、買う前には店主と電話で相談できました。店のウェブサイトには『一つの機器と長く付き合う覚悟はありますか』などという質問もあったくらいです。タイプライターにはオン・オフのスイッチがないのがとっても気に入っています。タイプするのって本当に楽しいです。音楽を聴きながら打てばさくさく進みます。立ち机で使っていますが、キーを本気で叩かなくちゃならないところがいいですね」。

*

二〇〇三年のことだ。当時わたしは河川貨物輸送をテーマにシリーズ記事を書こうとしていて、引き船に乗るチャンスを探していた。楽観はできなかった。企業というものはジャーナリストが近づくと、虫よけスプレーを取り出して身構えるのだ。守りの固さからいえば、たとえば連邦捜査局（FBI）に勝るだろう。万一、愛想よく迎えてくれたとしても、彼らは万全の予防線を張っている。きっぱり断られたことも数知れない。最初はイエスと言いながら、最後になってしぶる企業も多い。「副社長はオーケーを出したのですが、最高経営責任者（CEO）がそれを聞きつけてノーと言うのです」

副社長「お言葉ですが、社長、この記者は大丈夫です。みんながみんなシーモア・ハーシュやアプトン・シンクレアみたいな暴露物を書くわけじゃないですから」
社長「そいつが誰であれ、問題じゃない。そいつはジャーナリストなんだろ。何を書いてるかは知らんが、ジャーナリストがわが社の役に立つなんてことは、金輪際あり得ないんだ」
そんな状況だったが、わたしはセントルイスにあるメムコ・バージ・ライン社に依頼の手紙を送り、数日後に電話をかけてドン・ホフマン氏につないでもらうことができた。すると、「乗船ご希望日は何日ですか」と訊くではないか。

まるで、サウスウエスト航空の予約係と電話しているような感じだった。引き船は全国いたるところで、常に運行しております。お乗りになりたいのはいつでしょうか。そこでわたしはさっそくセントルイスへ飛び、そこからグラフトンの町へ行き、川岸から小型モーターボートに乗り込み、引き船「ビリー・ジョー・ボーリング」まで連れていってもらった。

この川とはイリノイ川――ミシシッピからシカゴ郊外に至る荷船ルート――である。イリノイ州南端の町グラフトンで、「ビリー・ジョー・ボーリング」はミシシッピ川の大型引き船から集めた艀《はしけ》一五隻をきつく縛り、一隻の船舶としてまとめて引きながらイリノイ川をさかのぼる。川幅が狭くなると小型引き船に荷を移し、今度は新しい一五隻を引いて川を下る。この行ったり来たりは永遠に続く――アムンゼンの探検旅行のようなわけにはいかない。何しろ、始まった痕跡もなければ、終わる兆しもないのだ。旅行記を書くにあたって時系列に沿った構成が無意味なことがあるとすれば、まさにこれがその例である。実際、時系列にしたがって書けば、誤解を招くことになるだろう。さまざまな

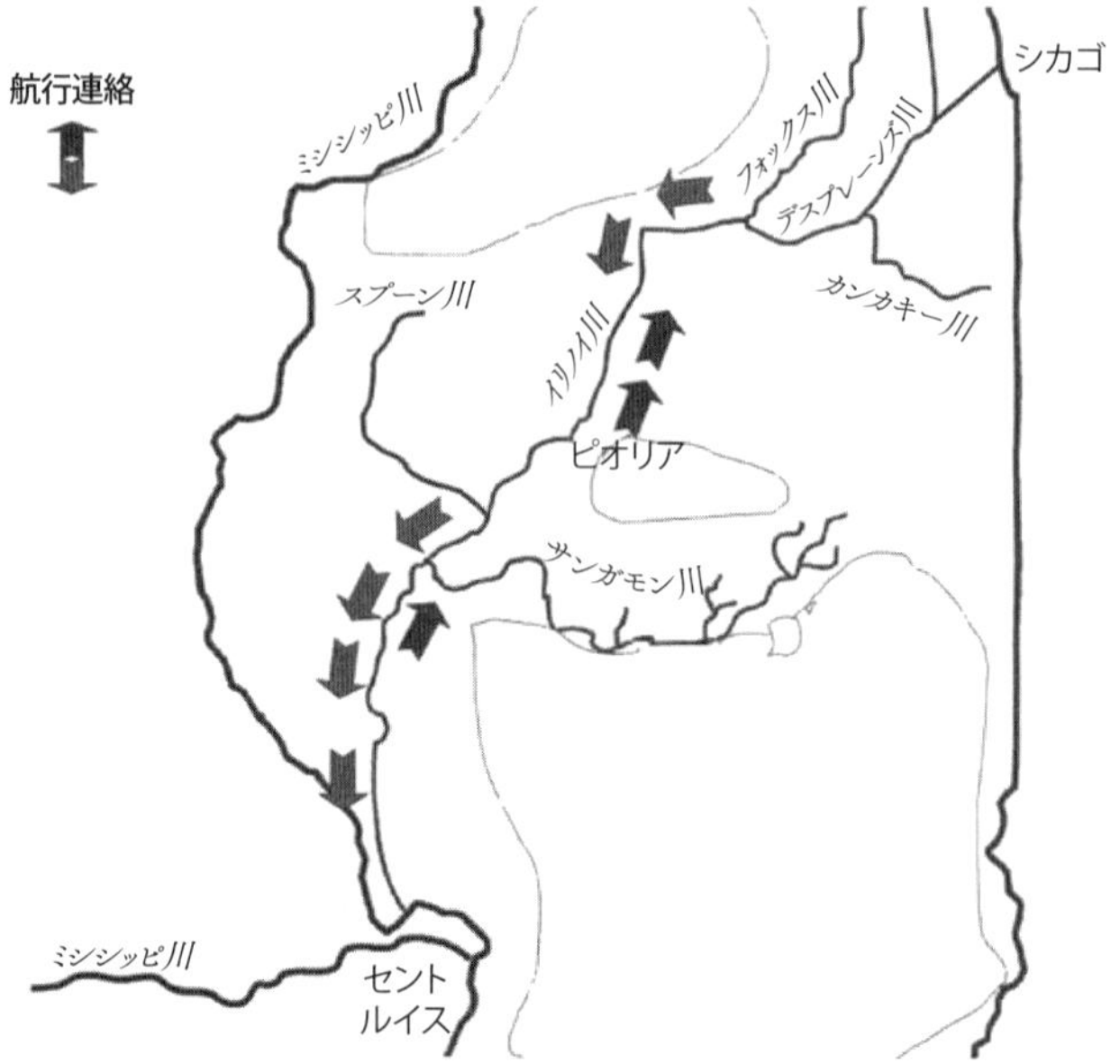

ことが、あちこち、どこでも起きた。ただ、それだけだ。だが、起きたことはどれもあるテーマを語っていた。どれも、ことが起きた順番に関係なく見出しをつけて、一つの独立したセクションに仕立てることができるテーマである。

この記事は「きつい川（Tight-Assed River）」をいうタイトルをつけ、全体を八つのセクションに分けた。そのなかの一つが「航行連絡《コーリング・トラフィック》」だ。

上の図の中の矢印は、ミズーリ州クリーヴ・コウー・ランディングやイリノイ州キッカプー・ベンドなど、いろいろ事が起きた地点を示しているが、起きた事件は、記事の中で一連の続きとして語られているわけではない。

この川に来ることを友だちのアンディー・チェイスに話したら、「ああいう船をあやつる連中ときたら、まったくすごいぞ。あんな船でとんでもないところまで行くんだ。まったく驚くばかりの腕前だ」と言っていた。アンディーは立派な免許を持つ船員で、どんな大型外洋船の船長だって務めることができるのだが、引き船に乗るわたしがうらやましいと言う。たしかに、この引き船は遠洋航海船とは大違いだ。われわれの船は全長こそタイタニックよりずっと長いが、はるかに軽く、わずか三万トンしかない。それでも、ゆっくりと航行するそのさまは実に巨大で重々しく、地をも揺るがす。クリーヴ・コウー・ランディングやキッカプー・ベンドといった要所で、流れに逆らい、側面舵を利用して舵を目いっぱい左に切り、八〇度方向転換しながら、トム・アームストロングはこう言う。「岸に乗り上げる前に、とにかく向きを変えるっきゃないんですよ。ほかの方法を考える暇なんかないんだ、どうやったってね。そんなに早くはターンできない。止まることもできゃしない。それで曲がり切れんこともある。そんなときはバックする。イリノイ川はまったくきつい川なんですよ」

……

列車は集中管理システムのもとで運行される。だが、この人たちは自分たちで航行管理を行う。待機するか前進するかを無線で連絡し合うのだ。交信の最後に船名を告げる。「こちらビリー・ジョー・ボーリング、南行き、アンダーソン・レイク地方へ向けて航行中。こちら南行き、ビリー・ジョー・ボーリング」

これが「航行連絡《コーリング・トラフィック》」と呼ばれる業務である。

……

トム・アームストロングが別の船長に呼びかける。「そこで事前に連絡願いまーす」。つまり、船を前進させる前に、次に待機できるスポットが空いているかどうか、あるいはそんなスポットがあるかどうかを知っておきたいということだ。セントルイスからシカゴへ向かい、シカゴからセントルイスへ向かう――まるで睡蓮の葉と葉の間を行き来するようなものだ。

……

十分な水量があるところで二隻の引き船が航行するとき、船長は互いに「シー・ユー・オン・ザ・ワン」とか「シー・ユー・オン・ザ・ツー」と声をかける。「オン・ザ・ワン」で通るということは、二隻がどちらも右舷側に曲がって衝突を避けるという意味だ。だから、すれ違う二隻の船はオン・ザ・ワンで航行すれば、相手の左舷側を通ることになる。ただし、オン・ザ・ワンでの追い越しには、すれ違いとは別の決まりごとがある。オン・ザ・ワンで追い越す船は相手の船の右舷側を通り、追い越される船は（上流に向かっていることが多いが）進路も速度もそのまま保つことになっている。操縦を行うのは追い越すほうの船である。こうした航行にはきわめて高度な技術が必要だから、新人の実地訓練中に船がピオリアの街に乗り上げるなんてことになっても不思議ではない。

＊

もう一つ、わたしが未だにチョークで板書している標語に触れておこう――「一〇〇〇の細部が一つの印象をつくる」。実は、これはケーリー・グラントからの引用である。細部というものは、それ自体で意味を持つことはほとんどないが、総体としてきわめて重要だという意味である。

細かな事実のどれを記事に入れ、どれを省くかを、書き手はそもそもの初めから考えなくてはならない。現場でメモを取る記者は、言うまでもなく、実際に目に入ったものの多くを省いている。文を書くことは選択であり、出発点ですでに選択は始まるのである。わたしはメモを取るとき、後で記事に使えるとは思えないことも含め、とにかくたくさん書きとめるが、それでも選択をしている。実際に稿を起こすと、選択の幅はさらに狭まる。これはまったく主観に頼って進める作業で、自分にとって面白いことは使い、そうでないことは省くのである。未熟なやり方からもしれないが、ほかの方法をわたしは知らない。大きく言えば、こうした文脈で使われる「面白い」という語には、「訴える力」を意味するいくつかの下位区分がある。そのなかでも重要なのは、自分が選んだ細部が記事全体の背景設定に役立つか、記事が取り上げる人物や場所について、何か暗示できるかどうかであろう。また、細部を語る言葉そのものの響きも、きわめて重要である。言わずもがなだが、安物アクセサリーまがいの語句をやたらに選んだために、全体がぼやけてしまうことがある。また、ノンフィクションの定義からすれば、こうして選ばれて記事になった細部は、すべて書き手本人が観察したものでなければならない。

芸術はあなたが見つけるところにあると考えるなら、ケーリー・グラントの言葉も、アール・ブレイクの戦略も芸術的だと言えるだろう。ブレイクは、のちに稀代の名コーチとなったヴィンス・ロンバルディを、大学フットボール・チームのコーチとして初めて迎え入れた陸軍士官学校のヘッドコーチである。陸軍のチームが敵なしの時代であった。ブレイクは（今では誰もがやっているように）記録映像からデータを集めた。当時の記録映像といえば、実際にセルロイドのフィルムに焼きつけられたものだった。露光したフィルムは現像所で処理をしなければならない。ハドソン川を八〇キロさかのぼったウエスト・ポイントにもっとも近い現像所はブルックリンにあった。ジャーナリストで作家のデイヴィッド・マラニスは著書『自尊心が大事だった時代（*When Pride Still Mattered: A Life of Vince Lombardi*）』（Simon & Schuster, 1999, p.107）で、このことを詳しく語っている。アシスタントコーチのロンバルディはヘッドコーチの命令どおり、試合の記録フィルムをブルックリンまで届け、現像が上がるのを待つのだった。毎週、上がったフィルムは大急ぎでウエスト・ポイントへ持ち帰ったが、ただ一カ所、立ち寄らなければならない場所があった。マンハッタンのウォルドーフ・アストリア・タワーである。そこでダグラス・マッカーサー元帥に試合のフィルムを見せるのだった。記録フィルムはブレイクが次の試合に備えて常時集めていたデータのほんの一部にすぎない。マラニスはこう語る。

ブレイクには、これらすべてのデータを使って、きれいでシンプルな戦法を組み立てる特徴的な才能があった。相手チームのこのディフェンスと戦うには、どのオフェンス・プランを使うべきかを判断し、「不要なものを切り捨て、全力で向かっていった」ブレイクを、ロンバルディは「すばらしい特技」を持っていたと称賛している。詳しいデータを集めて準備を整えるが、そこから生まれるものは、ややこしい統計や複雑な戦術の塊ではない。無関係なものをそぎ落とし、単純化し、純化していくうちに残るのは、今このチームと対戦するこの試合に必要なものだけであった。ロンバルディが決して忘れなかった教訓だ。……

もしかしたら、わたしが『船を探す』の構成を考えるにあたって、参考にできたかもしれない教訓である。だが、いずれにせよ、結果は変わらなかったろう。

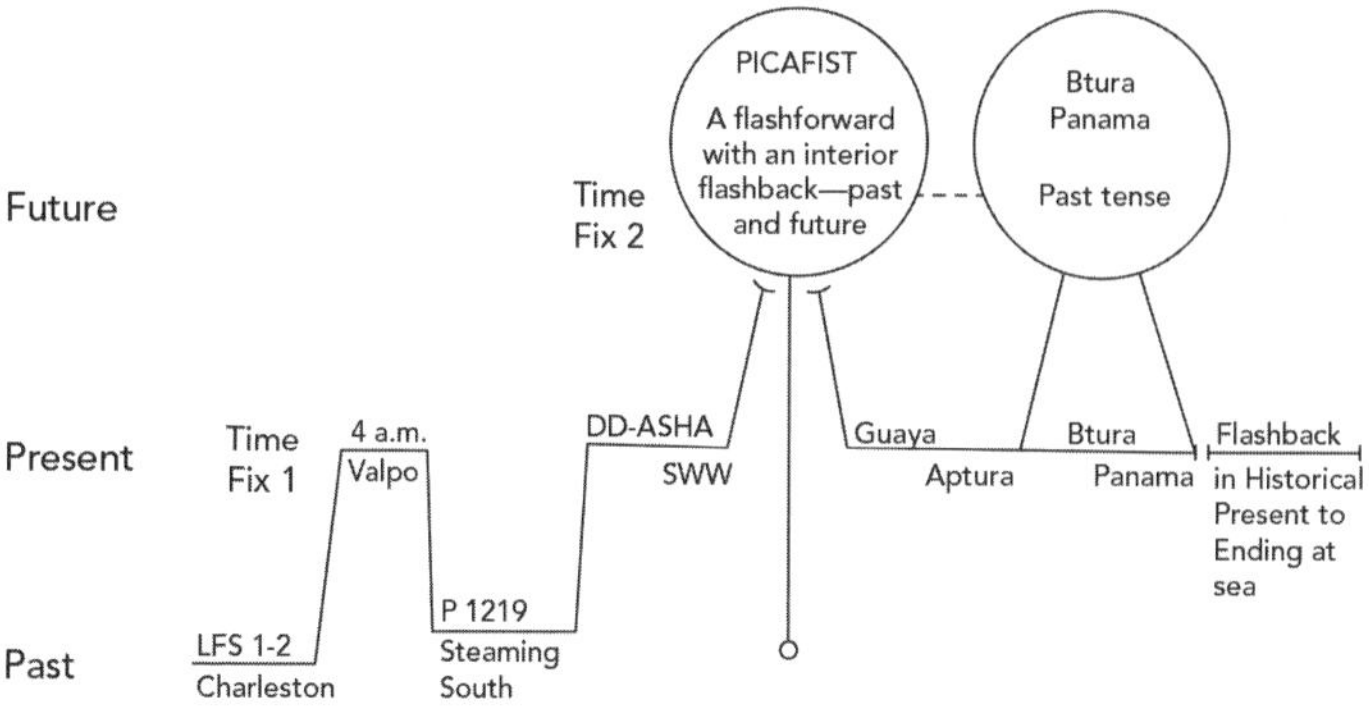

これはそれまでいちばん奇妙な構成で、簡素で明快で目立たないという、理想的な構成のあるべきかたちとは程遠かった。だが、楔形《くさびがた》文字のようにややこしく見えるこの構成も、大方は目立つことなく機能したのだった。ただ、読者は手紙をよこした。「最後の場面の後、結局どうなったのですか」、「船は港に帰り着いたんですか」、「密航者たちは、結局どうなりましたか」などなど。内容に惹かれて読んだとしても、こうした質問の答えはすべて本文の中にあるという事実に、読者は気づかないことがあったのだ。

わたしは書き出しでも結末と同様に、ちょっと無理なことをしたかった。船旅の話は、朝の四時、真っ暗な甲板の上で始めよう。船は太平洋南東部、チリのヴァルパライソ沖を航行中。臨場感を出すために、ここは現在形で語る。夜が明け始める。話している人たちの様子が次第に明らかになる。また、わたしがこの船に乗ることになったのは、海運組合でまったく偶然に起きた、本質的にはどうということのない出来事の結果だと、最初にはっきりさせておこう。それには、乗る船を探していた二等航海士と一緒に旅をしたことを語らなければならない。航海の後半で、北に向かっていたこの船は航行不能になってしまう。パナマ湾に近い、沖合およそ一六〇キロの海上でのことだ。船は大波に揺られ続けた。すぐに黒いボールが二個、いちばん高いマストの揚げ綱に取り付けられた――「運転不自由船」であることの世界共通のサインである。この本は、消えゆく運命にあるアメリカの商船の姿をもっとも重要なテーマとしていたから、エンジンの不調はわたしにとっては天の賜物のように思えた。二個の黒いボールを掲げ、軽いきしみ音を立てながら海上で動けないでいる船は、この本の結末にはぴったりだった。

だが、これを書いたのは一九八八年、こと構成に関しては、時系列に沿った組み立てが圧倒的に優先された時代であった。いま書いたとしても、それは変わらないだろう。この本はフラッシュバックで始まり、終わる。チリ沖の暗い甲板の模様を映画のように現在形で描く部分の前に、どうしてその船に乗ることになったのか、過去形の説明が入ったのだ。エンジン故障の後に起きたさまざまな出来事――パナマのバルボア港で密航者を発見した、カリブ海で熱帯暴風雨に襲われた、ポート・ニューアークで船体にひびが見つかった、ジャクソンヴィルの船長宅をはじめ、各地の船員たちを訪ねた、などのこと――を盛り込むためには、未来の一定の時間をうまく取り扱う方法を考えなければならなかった。

その六年前のことだが、わたしはスイス陸軍偵察班の四人とアルプス山中を歩いていた。もう三週間も一緒にいて、すっかり仲良しになっていたわたしたちは、ちょっとばかり寄り道をしてレストランに入った。レストランという名前のこの店に来たのは、これが初めだったわけではない。大砲や迫撃砲を使う軍事演習が進行中のここ、ローヌ渓谷で片持ち梁構造のこのレストランは、地上四〇〇メートルほどの高所に建っていた。兵士たちはめいめい無線機を一台ずつ持っている。それで指揮所から命令や情報を受け取ったり、状況を報告したりするのだ。指揮所へのメッセージは暗号文で書いた。「オーヴァーバルト在住の農夫、ザン・ニクラスから渓谷に向かう装甲車二台を目撃」。ここでフォンデュを口に入れ、さらに続ける。「敵側フュージリア兵二個中隊の車両、ローラン到着。装甲車一五台を破壊」。さらにこんな報告もあった。「シエールに超小型原爆投下。フィスプのわが軍バリケード死守。グレンギオルス橋維持。敵側と接触中」

メモの手を止め、ふたたびフォンデュに取りかかったわたしは、独り言を言っていた。「よし、これを結末にもってこよう。」。海上で動かなくなった船のエンジンもそうだったが、超小型原子爆弾は結末にぴったりだ。構成はすばらしいものになる。記事をどう終わらせるかは難しい。効果的な結末は、なかなか考えつかないものだ。アイディアがちょうどよく目の前に現れてくれるとはラッキーなことだ。

引き船が座礁した後、河川水先案内人のメル・アダムズが言ったことを思い出す。「これを記事にするときは、おれの名はトム・アームストロングだからな」

自分がどこで記事を終わらせたいか、わたしはいつも書き始めて間もないうちにわかってくる。きみの記事はちょっと不思議で、結末が三つか四つあるように見えるね、とウィリアム・ショーン編集長に言われたことがある。これが構成にこだわった結果であることは間違いない。いずれにしても、満足のいく結末を書こうと苦心するなかで、わたしがときに経験したこととつながっていたかもしれない。さかのぼってみることだ。意図していた結末を書いたが、どうもしっくりしないと感じるなら、前のページ、いや、さらにその前のページを読み返してみよう。ぴったりの結末が見つかるかもしれない。つまり、自分でも気づかぬうちに書き終えていたかもしれないのだ。

どうしたら仕事が終わったことがわかるのですか、とわたしはよく人から訊かれる。結末を書いたときだけでなく、何回も下書きを書き、この語句でなくあの言い回しをと、推敲を繰り返すときに、もうこれ以上はすることがない、仕上がりだと、どうしたらわかるのか、と。わたしの場合は、ただわかるのである。そんな自分は幸運だと思う。ある時点で、自分にはもうこれ以上できない、誰かほかの人ならもっとできるかもしれないが、これが自分の限界だ、と。だから、筆を擱《お》く。

編集者・出版人

ロバート（ボブ）・ゴトリーブは一九八七年にウィリアム・ショーンの後任として『ニューヨーカー』誌の編集長に就任した。もし変わり者であることがこの職に就く資格要件だというなら、ボブはまさにうってつけだった。一時期、自分のオフィスにプラスティック製のパンが二枚、一時間ごとにぽんと飛び出すトースターを置いていたことがある。ボブとこれまでいちばん長く話し合ったときは、トーストが三回も飛び出てきた。午後の遅い時間のことで、わたしが乗り損ねた列車の本数もそれと同じ数だった。ボブは人の話を聴く術を心得ていたが、そのときの会話は主にモノローグ、それも「ニューヨーカー誌を救う」自分の役目についてだった。ボブはプラスティックのトーストだけで語り尽くされる人物ではない。原稿に対してはすばやく明確な反応を示した。自分が責を負う出版物の内容を知り尽くしていたし、大方の執筆者よりも――たしかに、このわたしよりは――頭がよかった。編集者として三〇年の実績があり、サイモン&シュスター社やアルフレッド・A・クノップ社では編集長を務めた。ボブが『ニューヨーカー』誌の編集長だった間に一度、八万語にも及ばんとする長い原稿を提出したことがある。提出した翌朝に編集長から電話をもらい、原稿について話そうと言われたときはショックだった。八万語を読むには、わたしなら二週間かかる。いや二カ月かもしれない。編集長は原稿を読んだと言っていたが、わたしは信じなかった。ところが、この編集長は記事の中の二つの長い挿話を取り上げ、全体の構成におけるその役割を分析し、科学的描写が明確だ(あるいは、曖昧だ)と思う箇所を指摘し、記事の質を高めるにはこうしてはどうかと訂正リストを提案してくれた。

「船を探す」の原稿を提出したときも、編集長の対応はすばやかった。だが、この記事には編集長を思いとどまらせる一語が含まれていたために、掲載は九カ月後になった。それは、わたしが商船「ステラ・ライクス」に乗り、マイアミからカルタヘナ、バルボア、ブエナベントゥラ、グアヤキル、カヤオ、ヴァルパライソの各港を回って書き上げた六万語に及ぶ記事で、これをゴトリーブ編集長は、たった一語を除いて承認した。問題の一語を口にしたのは、ジョン・シェファードという船員だ。「船乗りの暮らしってえのは、楽じゃない。厳しいもんだ。陸に上がれば金を使ってさ、そのうえひどい目に遭わされる。金があるうちはちやほやされるさ。だが、金が尽きれば、『この野郎《マザーファッカー》、とっとと別の船に乗りな』ってことになる」

「マザーファッカー」は、『ニューヨーカー』誌に掲載を許された下品な言葉のリストに、まだ載っていなかった。「ファック」は使われても、ごくまれであった。一九五〇年代に『ニューヨーカー』誌に多くの作品を発表したジョン・チーヴァーも、作品からこの言葉を削除することに同意していた。この伝統はよく守られ、アリス・マンローが盛んに寄稿した一九八〇年まで、いやそれ以降も続いた。その間ずっと、『ニューヨーカー』誌の編集長を務めたのが、ウィリアム・ショーンである。下品な言葉を見つけると、この編集長は、「わたし」というところを複数形にして、穏やかに「これは、わたしたちには向かないでしょう」と言い、婉曲な言い回しが可能なら、それに変えるように求めるのだった。

一九六〇年代のことだが、ユーモア記事を書いていたカルヴァン・トリリンが、「マザージャンパーズ」という店名のマタニティ・ドレス専門店が出てくる原稿を書いた〔「マザージャンパー」は「マザーファッカー」の言い換えにもなる〕。「いや、わたしたちには向かないでしょう」と、ショーン編集長。「マザージャンパー」という語はそれ自体が婉曲表現ではないですか、と言い返してみたのだがと、トリリンはのちに語ったり、本に書いたりしている。

「そうですね、でも、わたしたちには向かないでしょう」が編集長の答えだった。

『ニューヨーカー』誌の美術編集者を二〇年も務めた漫画家のリー・ロレンツは、「われわれの雑誌はお堅いという、ちょっと身にあまる評価を受けている」と考えていた。のちにロレンツは、同じく『ニューヨーカー』誌の漫画を描いていたジョージ・ブースやブースが描いた猫の群れと眇《すがめ》の犬たちを称える作品集を編纂したが、その中でこう述べている。「六〇年代の社会的動乱の中で、ほかの出版物は気楽に＊印で置き換えてs＊＊tやf＊＊kを使い始めたが、『ニューヨーカー』は『粗野な表現』を避けるという伝統を守り続けた。この姿勢の源となったのはほかの何よりも、『流行《トレンディ》の最先端をいく』と見られたくないというショーン編集長の方針であった」

さまざまに異なる一〇人のウィリアム・ショーンに会いたければ、当時『ニューヨーカー』誌と縁の深かった作家たち――リー・ロレンツ、リリアン・ロス、ジェイムズ・サーバー、ロジャー・エンジェル、ヴェッド・メフタ、レナータ・アドラー、ブレンダン・ギル、ギャリソン・ケイラーら――の著作をはじめ、ウィリアム・ショーンの息子で音楽家・作家のアレン・ショーンの作品、そしていま手にしている本書を読んでいただきたい。「マザーファッカー」が自分の雑誌に侵入しようとしていたとき、「流行の最先端」云々がショーン編集長の大きな関心事であったとは、わたしには思えない。自分を「わたしたち」と呼び、タバコの広告はもとより、性器に触れる衣服の広告さえ、ときには掲載を断ったショーン編集長は、カルヴァン・トリリンの「マザージャンパー」店などはほかの雑誌に移っても構わないと思っていたし、伝えられるところによれば、フィリップ・ロスの『さようならコロンバス（*Goodbye, Columbus*）』〔佐伯彰一訳、集英社、一九七七年〕さえ掲載を断ったのだった。理由は、登場人物がペッサリーを話題にしているからだった。

一九七〇年代に書いた小篇で、セイラ・リッピンコットは「使わなければだめになる《ユーズ・イット・オア・ルーズ・イット》」という、性的な意味を含む言い回しの変形を使った。ニューヨーク市内の路線バス運転手に向かって、「発車させないとだめになるわよ《ムーヴ・イット・オア・ルーズ・イット》」と、自転車のシートから怒鳴ったのだ。これでさえ、ショーン編集長を赤面させるには十分だった――そんな表現は、わたしたちの雑誌では使えません。「でも、なぜ？」とセイラは訊いた。実際、セイラはまったく知らなかったのだ、この表現の由来を。ショーン編集長は質問をはぐらかした。セイラはなおも訊く。編集長は顔を赤らめ、答えようとしなかった。

だが、これも同じく昔のことだが、あるとき、ある記事でショーン編集長は「ラム・イット」という罵り言葉〔「性交する」の意味もある〕を受け入れた。トリリンが書いた記事の中で、当時のジョージア州知事レスター・マドックスが公の場でこの言葉を使い「連邦政府の補助金なんかくそくらえだ《ラム・イット》」と言い放っていたのだ。初めのうち、ショーン編集長は、『ニューヨーカー』誌上で「ラム・イット」のような行為が言及されることはあり得ないと主張した。トリリンは、編集長が譲らないなら辞職する覚悟だったという。「編集長の言うとおりにしていたら……取材ってものができなくなるんだ。ほかの社の記者たちは許されているっていうのにさ。それはちょっと困りますって言ったら、ついに編集長は折れて、ひと晩考えさせてくれだって」

翌朝、ショーン編集長はトリリンに電話し、いかにも彼らしい、常に変わらぬ丁寧なあいさつから始めた。静かな声でこう言うのだ。「もしもし、トリリンさんですか。おはようございます。今お電話してよろしいですか」

こうして「ラム・イット」はそのまま使ってもいいことになった。

これはまるで十五世紀の探検家が見知らぬ大陸から一〇〇マイルも離れた沖合で浮いている草木を見つけるような、驚くべき事件だった。婉曲表現は、いつの日か『ニューヨーカー』誌から消え去ることになる。そう、当時はいつの日か、であった。そしてその日は、「ラム・イット」事件から六年後に、わたしがサラブレッドのエロティシズムとは対照的なクオーターホースの種付けをレポートした一九七四年になっても、まだ到来してはいなかった。こんなことが書いてある原稿を、ショーン編集長はどれほど赤面しながら読んだのだろう。ちなみにこれはショーン時代の『ニューヨーカー』誌には載らなかった。

ゴー・マン・ゴーは種馬だ。ニューメキシコ州ロズウェル近郊ブエナスエルテ牧場内の専用飼育場でのその暮らしは、一見のどかだ。その専用放牧場は白いフェンスでしっかり囲まれ、専用牧草区のそばの専用厩舎には、金文字で書かれた名札がかかっている。だが、自らの務めを果たすときが来れば、ゴー・マン・ゴーはクリニックへと引いていかれる。そこでは牝馬の一団が待っている。当て馬に発情を促された牝馬たちだ。調教師たちが端綱《はづな》を手に牝馬と当て馬の一団をしっかり抑えている。一頭の当て馬が振り切って牝馬に近づく。牝馬に鼻をすり寄せ、体をこすりつけ、興奮して低くいななく。心臓は激しく鼓動し、血が体中を駆け巡る。牝馬もそうだ。牡馬は鼻孔を大きく広げ、マウントしようとするが、力づくで引き下ろされ、囲い地へと連れていかれる。牝馬は排卵し、待っている。当て馬は長くは使えない。数カ月のうちにストレスで健康を害するのだ。

発情した一四頭あまりの牝馬のところへ、ゴー・マン・ゴーが姿を現す。これから、牧場で一頭をではなく、クリニックの中で一四頭を相手にするのだ。そのなかの一頭が目の前に連れてこられると、ゴー・マン・ゴーはいきなりマウントする。獣医が傍らに立ち、挿入直前の決定的瞬間に、ゴー・マン・ゴーを人工膣の中へと導く。人口膣とは、プラスティック製の裏打ちの付いた厚地の革製の筒で、長さは約六〇センチ、ハンドルが付いている。外側にそれぞれ圧縮空気と湯を調節する二つの弁が取り付けられている。湯の温度は摂氏七五度。注入された湯は圧縮空気に触れて泡立ち、ゴー・マン・ゴーを歓迎された気分にする。「何が起きているか、牡はわかっていません。牝の中に入ったと思ってますよ」と獣医は説明してくれた。

精子と精液は人工膣内の容器に採取され、ただちに分光計にかけられる。精子数五〇〇〇万を数えたところで、発情した牝に注入される。さらに五〇〇〇万が次の牝に注入される。一回の射精で、集められた牝馬たちすべてに注入することが十分に可能だ。ゴー・マン・ゴーは専用の放牧場に連れ戻される、壊れたイメージを引きずりながら。ゴー・マン・ゴー、今は種馬。

　そして「その日」は、一九七五年にわたしがノース・メインウッズで二四〇キロにわたるバークカヌーの旅をしたときも、まだやってきてはいなかった。そう、あれはアンリ・ヴァイヤンクールらと一緒の旅だった。アンリは、斧、千枚通し、曲がりナイフ、鉈《なた》だけを使い、クロトウヒなどの常緑樹の根を裂いて綴じ合わせ、頑丈なパークカヌーを作った男である。森の中でも船の上でもアンリは、仕事をするとき巧妙かつ慎重になるのと同じくらい頑固になり、この旅の間はずっと、まるで二段櫂船の船主兼船長のように振る舞った。約九キロを残す最終行程で、幅約三キロのコーコムゴモック湖を南東から北西へ渡ることになり、シス・ストリームの瀞場《とろば》から湖に出たとき、ものすごい向かい風に遭った。湖面に大波が立ち、煙のような水しぶきが上がっている。ヴァイヤンクールはこの恐ろしい状況を無視して湖を渡れと指示し、わたしたちはそのまま進んだ。北西へ、ほんの九〇メートルほども進んだところで、乾舷の低いカヌーは波をかぶってしまう。船首で漕いでいたウォレン・エルマーが、ヴァイヤンクールの判断への日ごろのいら立ちを爆発させ、振り向いて大声で怒鳴った。「この大バカ野郎《ファッキン・ルナティック》！　岸をめざせ！」（中川美和子訳）

　ファック（fuck）、ファッカー（fucker）、ファッケスト（fukcest）。ファッケスト、ファッカー、ファック。発音されないCと珪岩《クワーツァイト》のようなKを含むこの四文字の卑語は、雷鳴のとどろきよりも衝撃的な言葉だと、わたしはこれまでずっと感じてきた。実はショーン編集長は、言語におけるこの単語の存在を淡々と受け止めているように見えた。だが、自分がかかわる出版物には決して登場させなかった。わたしの娘たちはといえば、子どものころはショーン編集長ほどには、いや、このわたしほど、あるいは祖父母たちほどには堅苦しく考えなかった。中学生の娘たちは通学の車の前と後ろの席の間で、この言葉をまるでピンポン玉のように打ち込んでは打ち返していたものだ。運転席でそんなやりとりを聞かされていたわたしは、あるとき、もうたくさんだと、思わず大声で（だが、落ち着いた親らしい態度で）こう言った。「ファック、ファック、ファック、ファック、ファック、ファック、ファック、ファック、ファック――ほらね、パパだって言えるぞ！」

　そのとおり、車の中でなら言えただろう。だが、一九七五年の当時『ニューヨーカー』誌の中では使えなかったし、そんなことは言われなくてもわかっていた。もう一二年も、この雑誌の仕事をしていたのだから。この言葉の代わりに「f―」や「F＊＊k」を使うことも、「卑語省略」という重々しい断り書きを入れることもできなかった。そのようなやり方を、もし『ニューヨーカー』誌が採用していたとしても――採用してはいなかったが――わたしは使わなかっただろう。Fで始まる卑語を使う表現は、当時は広がっていなかった。広がらなかったほうが、この国にとってはよかったとわたしは思う。そういうわけで、ウォレン・エルマーはコーコムゴモック湖上で、たしかに「ファッキン」という語を使ったが、『ニューヨーカー』誌に掲載された記事では「この大バカ者《ガッデム・ルナティック》！岸をめざせ！」と言ったとされている。

　一九八〇年。時代は移り変わったが、この方針は変わらなかった。たとえば、この年の年末号では、アリス・マンローの記事「ターキー・シーズン」から一行が削除され、お粗末な一文で穴埋めされた。

　のちに短編集『木星の月（*The Moons of Jupiter*）』〔横山和子訳、中央公論社、一九九七年〕に収められた「ターキー・シーズン」によれば、おそらくマンローの原稿にはこう書かれていたはずだ。

その子は……その年の夏、湖船で働いていた。でも、うんざりして、やめたそうだ。その子が言ったのは、「だせえ船《ファッキン・ボート》でよお、やってらんねえぜ」

ターキー・バーンの言葉は、がさつで、くだけていたけれど、このひと言だけは聞いたことがなかった。

（横山和子訳）

『ニューヨーカー』誌ではこうなっている。

その子は……その年の夏、湖船で働いていた。でも、うんざりして、やめたそうだ。

ターキー・バーンの言葉は、がさつで、くだけていたが、わたしたちにその話をするときにブライアンが使ったのは、今でこそ一般的だが、当時は使われなかった表現であった。

その七年後、ショーンが編集長を務めた最後の数カ月に、常識をひっくり返す事件が起きた。トリリンが提出した原稿に、ネブラスカのある農民が金繰りに窮し、こうなったのは「憎らしいくそユダヤ人ども《ファッキン》」のせいだとののしるシーンがあった。トリリンはこう書いている。

記事中の引用について、肝心なところなので、編集長とお話ししたいのですが、とわたしは切り出した。このことでショーン編集長には言いたいことがたくさんあることを、わたしは知っていたから、もしノーと言われても、ごり押しはしないつもりだった。案の定、ショーン編集長は婉曲表現に言い換えできないものかと言う。わたしは、これは州警察の記録をそのまま引用した言葉なのだと説明する。わたしたちはほかの方法をしばらく話し合ったが、ついに編集長が折れた――「まあいいでしょう。そのまま使ったらどうですか」。わたしはぼそぼそと何かつぶやき、ゆっくり後ずさりしながら編集長室を出た。急に向きを変えたら、編集長の気が変わるかもしれないと思ったからだ。

そんな世界に勢いよく入ってきたのがボブ・ゴトリーブ編集長である。わたしの「船を探す」が掲載されたのは、ゴトリーブが編集長になって三年目のことだった。この記事にはそこここに「くそっ《シット》」や「こん畜生《ファック》」といった卑語が使われていたが、ゴトリーブ編集長は気にしなかった。気にしたのは船員ジョン・シェファードが口にした「この野郎《マザーファッカー》、とっとと別の船に乗りな、と言われるんだ」の中の一語であった。

締切の日、編集長室でちょっと話があると、ゴトリーブに呼ばれた。彼のオフィスに行くのは楽しかった。例のトースターがあったからだけではない。ゴトリーブは財布のコレクションもしていて、その一部がオフィスに飾ってあったからだ。「船員の言葉ですけど、考え直すほうがいいとは思いませんか」と、編集長は言った。

「シェファード自身は考え直していないのに、このわたしが手を入れるなんてことできるでしょうか」とわたし。

「できるでしょう」と編集長。

「このままのほうがいいと思いますが」とわたし。

すると編集長はかがんで、派手な黄色い特大判の付箋紙を取り出し、黒のマジックペンで大きく「マザーファッカー」と書き、その日着ていた長袖の開襟シャツのポケットに貼り付けて、わたしには、後で、たぶん今日中にまた連絡しますよ、と言った。

わたしは自分の小さなオフィスに戻った。実は、「船を探す」には、編集長が気にするかもしれない件《くだり》が別の箇所にもあったのだが、これについて編集長は、なぜかあのときもそれ以降も何も言わなかった。ことによると、よく考えなかったのかもしれない。それは退屈について、また海に出た人が感じる海から解放されたいという切実な思いを描いた一節だった。


この人たちは自由意思で船の仕事を選び、(たいていは)もう何十年も海の暮らしを続けてきたのに、壁に×印を刻みながら刑期を務める囚人と同じことをしている。ある朝、ジム・ゴーセットがウィリアム・ケネディにこう言っているのが聞こえた。「なあ、ピーウィー(ケネディのあだ名)、おれら、今日で五〇日目だよ。残り四九日だ」。これを聞いてわたしは、以前にメイン海事アカデミーの練習船「ステート・オブ・メイン」内で目にした落書きを思い出した。このアカデミーの学生はカリキュラムの一環として、二夏をこの船で過ごし、トレーニングを受けることになっていた。こんな落書きだった――あと13MFD、あと12MFD、あとたった11MFD。Dは「日《デイ》」の略だ〔MFはmother-fucking の略〕。海の仕事をしたいと言ってこの学校に入った若者たちが下船の日をこれほど楽しみにするとは、わたしには意外だった。だが、船乗りなら誰でもこの気持ちがわかるだろう。

あの日、ゴトリーブ編集長は「マザーファッカー」と書いた付箋を、まるで名札のように胸に付けたまま、社内のあちこちのオフィスへ、あの部署からこの部署へと歩き回った。付箋を目にして顔を赤らめる人もいれば、笑い出す人もいた。ぎょっとした表情を浮かべたり、咳をしたり眉をひそめたりと、反応はさまざまだった。胸にこの付箋を付けた編集長を見て、執筆者たちはちょっとした息抜きができ、編集部員たちは、ほんの数分間にせよ、執筆者のことを頭の外へ追い出せたというわけだ。こうしてゴトリーブ編集長はほぼみんなの意見を、聞きもせずに吸い上げたのだった。あの日、遅くなってから編集長は電話をくれた。「マザーファッカー」は『ニューヨーカー』誌にはふさわしくないとのことだった。

＊

語彙の問題はさておき、あのタイミングで『ニューヨーカー』誌の執筆陣に加わったわたしは、とても運がよかった。わたしの記事が初めて同誌に掲載されたのは一九六三年。これは概していえば体験記で、『ニューヨーカー』誌の社内用語では「カジュアル（くだけた）」と分類される短い記事だった。事実を書いたものだが、担当したのはフィクション部であった。転機となったのは、その二年後に書いた記事である。当時プリンストン大学の学生だったビル・ブラッドレーを取り上げた一万七〇〇〇語の人物紹介で、これはショーン編集長が直々に編集に当たった。編集長は長編ドキュメンタリーを手がける新入りライターを、よく自ら編集したが、これはいわば馬の調教であった。ただし、それを経験したライターは、馬というよりは野球のミットになったような気がしたものだ。記事の原稿が印刷に回る前の一、二週間というもの、編集長とわたしは毎日顔を突き合わせ、ゲラ刷りの一つのコンマから次のコンマへ、またセミコロンがあればとりわけ注意しながら文を検討した。ショーン編集長がとくに注意深く何回も述べた点は、「いかにも『ニューヨーカー』誌といった印象を与える」記事を採用する気にならないということだった。推測するに、編集長は巻頭コラム「街の話題《トーク・オブ・ザ・タウン》」のことを言っていたのだろう（当時このコラムは「わたしたち」を多用していた）。たしかに、編集長のもとで発行される数々の署名入り記事はどれも一様ではなく、独特の味があった。ユーモリストで脚本家のS・J・ペレルマンが書いた雑文を見てハンナ・アーレントが書いたと思う人がいるわけはない。折に触れてショーン編集長は、自信を失い、神経過敏とまでは言わないまでもピリピリしているライターを励ましてくれた。何しろ経験豊富なのである。わたしが初めて会ったとき、ショーン編集長は五十七歳だった。そして、七十九歳になってもまだ『ニューヨーカー』誌の編集長を務めていた。『ニューヨーカー』誌には多様なスタイルの記事を載せたが、ショーン編集長自身がもっとも興味を持って取り組んだ課題は長編ノンフィクションの可能性と将来性であったようだ。

　そういったことのどれも、一九六五年以前のわたしは知る由もなかった。この雑誌には奥付がなかったから、ショーン編集長の名は聞いたこともなかった。大方の読者がそうだが、わたしも『ニューヨーカー』誌は、自分たちのことを「わたしたち」と呼ぶお偉い編集者の一団が作っているのだと考えていた。ただ、わたしはこの雑誌に何か自分の書いたものを載せてもらいたかった。高校生のときからずっとそう思っていたが、三十歳を過ぎるまで、『ニューヨーカー』誌から断られ続けてきた。そして今、わたしは四三丁目にある古いビルの一九階の、何の変哲もないオフィスの一室で、小柄で髪の毛が薄く、上品で礼儀正しい年配の人と一緒にいて、3-2ゾーン・ディフェンスやブラインド・パス、リヴァース・ピヴォット、ピック・アンド・ロールなどについて話している。ディフェンス態勢だのオフェンスの動きだの、どれもこの編集長にとってはまったくなじみのない言葉で、すぐに忘れてしまうかもしれない。だが、せめてこの週の間は意味を正確に理解したいと、編集長は情熱を傾け、一語一語が正確に使われていることを確認していった。どうしたわけか、もちろん緊張のあまりだろうが、わたしは原稿にタイトルを入れるのを忘れていた。タイトルは自分たちの特権だというのが、どの編集者にも共通する考え方のようだ。いったん原稿を買い取ったら、冒頭に記されたタイトルをボツにし、代わりに自分の好きな表題をつけることができるのだと。若いころのわたしは、そんなことをされると気が高ぶり鳥肌が立ったものだ。ここで付け加えておきたいのだが、わたしは『ニューヨーカー』誌以外――『ヴォーグ』、『ホリデー』、『サタデー・イヴニング・ポスト』――の仕事では、ほとんどいつもそんな編集者に遭遇した。タイトルは一篇の記事の不可分にしてもっとも重要な部分の一つであり、それに続く文章を書いた本人以外は何人《なんぴと》たりともそれを書いてはならない、とわたしは考える。編集者が執筆者のタイトルをボツにして代わりに自分の好きなタイトルをつけるなら、まるで、厚紙でできた顔はめ看板――段ボールでできた毛沢東の体の頭部のくりぬき部分から観光客の顔がのぞくといった趣向――のようなものができ上がる。ただ、ビル・ブラッドレーを取り上げたこの記事の原稿の場合、タイトルがないのは完全にわたしのミスだった。わたしが原稿にタイトルを入れなかったのだ。入れたのはショーン編集長、本文をあちこち探した末、主人公が語った六語を見つけてタイトルとした。初校が上がってきたとき、わたしの記事には「立ち位置を知る（A Sense of Where You Are）」というタイトルがついていた。

　このタイトルについては五〇年経った今も、わたしは感謝している。だからといって、ショーン編集長と接するときに多少は警戒心を解いたかといえば、そんなことはない。ノンフィクションのタイトルに関してショーン編集長は根本的な偏見を持っていて、それをこの雑誌の憲法の条項に入れていた。たとえば、記事の題材をそのままタイトルに使わない、という決まりがあった。それなら、オレンジについての記事の場合はどうすればいいか。わたしの二作目で、スタッフライターになって初めての記事が、まさにそれだった。わたしはタイトルを「オレンジ（Oranges）」にした。この記事はオレンジについて書いたもので、読者に知らせる情報としてはこれ以外にないではないか。ショーン編集長は「オレンジ」を削除し、校正刷りに「翠《みどり》色の夜の黄金の灯」というタイトルを入れた。いや、あなた、読み間違いじゃありません。ジョージ・ブースの漫画に出てくる眇《すがめ》の犬じゃあるまいし、目のほうは大丈夫、ちゃんと読めていますよ。ショーン編集長はこのタイトルを、記事中に引用されている十七世紀の英詩人アンドリュー・マーヴェルの作品「バーミューダへの移住者の歌」の一節からとったのだった。わたしが思わずいきり立って抗議すると、ショーン編集長は情け深くも「オレンジ」というタイトルでもいいと言ってくれた。

その数年後、「小作人と地主（The Crofter and the Laird）」というタイトルで記事を提出したときのことだ。ショーン編集長はこのときも、記事の題材はタイトルに使うべからずとの鉄則を持ち出したが、今回はごく自然で印象的なタイトルを考えてくれた。まったくぐうの音も出ないほどの代替案だった。この作品は「小作人と地主の住む島」として『ニューヨーカー』誌に掲載された。

ショーン編集長は緻密で風変わりな人だった、といって片づけるわけにはいかない。決定的なことを言う人でもあった。牡蠣についで何か書いてもいいかとわたしが相談すると、編集長はゆっくりと穏やかにこう答えた。「いや、きみ、それはだいたいの予定が決まっていていてね、別の執筆者が書くことになっているんですよ」

「別の執筆者」――ライターと話しているときにほかのライターが話題に出ると、ショーン編集長はいつもこの表現を使い、決して具体的なことを口にしなかった。ショーン編集長は自転車の車輪のハブで、ライターはスポークだったのだ。編集長は、ライターたちをばらばらにしておき、強め、独自性を保たせた。ライターは、互いにではなく編集長とだけつながっていた。あるとき、わたしと話をしていたショーン編集長は不用意にも「小器用なライターたち」を（もちろん、名前は出さずに）俎上に載せた。めったにないことだった。そんな彼らが小器用さのゆえに払うことになる代償だとか、彼らの滑らかな文章に生じる疑念などを低い声で打ち解けた口調で語り続けるものだから、聞いていたわたしは、自分の書く文が、願わくは砂利浜のようにごつごつしたものでありますようにと祈らずにいられなくなった。ショーン編集長は、相手が男性であれば、かならず「ミスター」を付けて呼んだ。「もしもし、ミスター・シンガーですか。こんにちは。お話ししてもよろしいですか」。ショーン編集長は、それよりも打ち解けた口調で話すことはなかった。この種の堅苦しさは、実際に役に立つようだった。「ミスター」を付けて呼ぶ相手なら、クビにしやすいだろう。「サンディ」などと親しく呼び合う相手を解雇するのがどれほど難しいかは、考えなくてもわかる。相手が女性なら、ショーン編集長は相手の名前の前に「ミス」か「ミセス」を付けて呼んだ。何しろ一九〇七年生まれなのだ。

ショーン編集長と食べ物の関係を如実に語る二つのエピソードがある。一つはアラスカのカリブー、もう一つはジョージア州の公道で死んだ動物にまつわる話で、『絹のパラシュート（*Silk Parachute*）』と題する拙作中の一篇で語られている。以下に内容を紹介しよう。

一九七一年にアラスカ先住民権益措置法が可決され、アラスカの地に広大かつ複雑な組織が生まれて以来、わたしはそこに行って、そこに住み、変化のただなかにあるこの州について書きたいという強い思いを募らせていた。あるとき、ウィリアム・ショーン編集長にこの企画を承認して費用を負担してくれるかおうかがいを立てたが、きっぱりと断られた。なぜか。これがつまらない企画だったからでも、予算の問題があったからでもない。あんなに寒い場所について読むのはごめんだと、編集長が思ったからだ。この編集長はニューファンドランドにも同じ反応を示していた（「あ、そうですか。ところで、そこは寒いところでしたね」）。ニューファンドランドは、北極圏から一六〇〇キロ以上も南に下った地だという点ではフロリダ州と変わらないのだが、ショーン編集長はそんな場所を考えただけで身震いするのだった。ニューファンドランド行きはとうとうかなわなかったが、結局わたしはシカゴからアラスカへ向かうノースウエスト機に乗り込むことができた。滴り落ちる雨だれよろしく、アラスカの企画のことをぽつりぽつりと話題にし続けたかいがあったというものだ。

アラスカでのわたしの初めての長い川旅は、ブルックス山脈南斜面のサーモン川とコブック川を行く旅だった。旅の間に耳にして面白いと思ったのは、この森林地方の先住民がカリブーの目の後ろにある脂肪を珍味として大事にしていることだ。この川旅を企画したのは、当時は連邦屋外レクリエーション局に勤めていた（近年はアラスカ州天然資源局局長）パット・プールショットだった。食料も用意してくれたが、どうやら彼の専門知識の中に食品分野は含まれていなかったようで、朝食用にピンクの糖衣がかかったラズベリージャム入りのポップ・タルトを大量に持ってきた。こうしてわたしは、『ニューヨーカー』誌に提出した最終稿に書いたとおり、コブック川のほとりで、哲学的な選択肢を検討することになった。

トースターがないし、どっちにしろたいしたことはないのでそれを冷たいままで食べた。このタルトがきっかけになって、全く偏見のないバーバリ人とか旅行中の火星人の味覚は、ピンクの糖衣のついたラズベリー入りポップ・タルトとカリブーの目の後ろの脂肪の塊とどちらを好ましいと感じるだろうかという話になった。

（越智道雄訳）

当時、『ニューヨーカー』誌の社内には「ショーン・ゲラ」と呼ばれる校正刷りが存在していた。校正刷りはほかにもたくさん種類があった。事実確認係《ファクトチェッカーズ》はじめほかの編集者や「リーダー」と呼ばれる語法の天才たちのチェックが入ったものなどである。しかし、メモ書きがほとんど入っていない——ショーン編集長は自分にとってもっとも重大な関心ごとについて、ぽつりぽつりとメモを入れるだけだったから——この簡素なゲラは、孤高の威厳を保っていた。ショーン編集長は寒い場所が嫌いだったが、それとは比べものにならないほど毛嫌いしていたのが、現実のものであれ、仮想上のものであれ、珍しい食べ物である。ごくたまにだが、わたしはお供でレストランに行くことがあった。すると編集長はアントレにコーンフレークを頼み、皿の上のフレークが動いていないかどうか一片一片を調べるように見つめるのだった。先に引用した部分の「ショーン・ゲラ」には、「ポップ・タルト（Pop-Tart）」という語の横の真っ白な幅広の余白に、小さい見事な文字で「ザ・ポップ・タルト（the pop tart）」と書いてあった。

＊

だから、その数年前のことだが、どういう風の吹きまわしでショーン編集長がわたしの企画を承認してくれたのかは、今もってよくわからない。何しろその企画というのは、道路で死んだ動物を収集し、たいていはそれを食べる女性と一緒に、ジョージア州の田舎を巡り歩くというものだったのだ。キャロル・ラクデュッシェルという名のこの女性はさまざまな課題に取り組んでいた。なかでも、ジョージア自然地域委員会の同僚のサム・キャンドラーと一緒に、もっとも優先的に取り組んでいたのは、手遅れにならないうちに州内原生地域の保全を図ることだった。こうした環境保護関連用語のヴェールに覆われた動物の死体に、ショーン編集長は気づかなかったようだ。ましてや、そんなものを人間が食べるとは、考えもしなかっただろう。だが、わたしは旅の第一日目と原稿を書き始めたその日に、ショーン編集長が最初で、おそらく唯一の読者になるだろうと、鋭く感じ取った。そしてこのことが記事の構成を形成した。書き初めはどうする？　初めて野宿した夜に食べたイタチにしようか。いや、まさか、とわたしは自分に言って聞かせた。わかりきったことだ。何しろこれは、アパラチア山脈北部のポツンと孤立した谷からジョージア州南部のセモチェチョービー川に至るまで、一七〇〇キロメートルを行く旅の、エピソード満載の物語になるのだ。時系列に沿ったフラッシュバックを使ったオウム貝型の構成にし、そのなかからいちばん効果的な箇所を選んで冒頭にもってこよう。さて、どこがいいか。ジョージア州エマニュエル郡のハンガーエンド・ハードシップ川に近いスウェインスボロ・ロードで死にかけたカメに遭遇したエピソードはどうか。あれはカミツキガメだった。保安官が、至近距離からだが撃ち損なってしまったおかしな一幕もあった。カメはイタチとは違うし、スープ業界でも知られた存在だから、ここはカミツキガメをもってくるのがいい。イタチやヌママムシよりもずっといいことは、言うまでもない。カメの事件の次には、河川水路化計画の話をもってこよう。ここには気味の悪い食べ物は登場しない。カメと水路化の後は、主要人物（キャロル・ラクデュッシェル）の経歴を語ればいい。こうすればショーン風の書き出しでこの八〇〇〇語の記事をこなせるというわけだ。それからあのイタチに戻って、食べるシーンを書けばいい。

わたしは編集長に原稿を提出し、自宅のリビングで待機した。五日目に電話が鳴った。

「もしもし」

「もしもし、マクフィーさんですか。お元気ですか」。ショーン編集長の声はとても小さいが、軽やかで、どちらかといえば明るい。弱々しくはないが、「頑固なネズミ」と呼ばれている人にしてはきわめて遠慮がちな声だった。

「はい、編集長、ありがとうございます。お元気ですか」

「はい、ありがとう。今お話しできますか」

「はい、もちろん」

「あの原稿ですが、いいと思いましたよ。……いや、そうではなくて、とても読めませんでした。だが、あの女性は、わたしなどよりしっかりと地に足を着けて、意義深い仕事をしておられる。この原稿は喜んで記事にしますよ」。原稿の一部にこんな場面があった。

キャロルはそのイタチを計測した。それから紙の上に置いて体形をトレースし、両耳をやさしく撫でてやった。イタチの頭蓋と毛皮は大学研究室の収集品に加えられることになっている。

キャロルはジョージア州立大学の生物学研究員の一人として、頭蓋骨と毛皮を集めていた。動物の頭蓋も毛皮も、研究室ではすぐに使いきってしまうので、頻繁に補充しなければならない。

キャロルはすばやく睾丸を切り取り、紙の上に置いて寸法を測った。一・九センチ。イタチの毛皮に刃をスーッと入れ、皮を剝ぎ取り始める。長い首の皮が着実に剝がれていく。毛皮に付いている肉は子牛のテンダーロインに似ている。「去年の冬は、リスばかり食べていたわ」とキャロル。「道の角を曲がるたびに、リスが見つかったから、肉屋に行くのをやめちゃった。この一年くらい、肉はいっさい買っていません。あ、でも舌肉だけは買うわ。舌肉が大好きだから」。キャロルはこう話しながらも、確かな、軽やかな手つきで刃を動かす。「このイタチ、完璧な体ね。ほとんど傷がない。マック・トラックに轢《ひ》かれた動物は、皮を剝ぐのも大変で、どこをどうしたらいいかわからなくなるのよ」

「もしもし、ショーン編集長、よろしくお願いします」

キャロルはイタチを長いフォークの先に突き刺し、炭火でローストした。「焼き加減はどうする?」とサムが訊く。「きわめつきのウェルダンで」とわたし。キャロルはロースト肉の香りを嗅《か》ぐ。「野生のにおいだわ。牛肉じゃないことは、言われなくてもわかる。クマを初めて食べたとき、脂身をとれって周りの人に言われた。臭いのは脂肪なんだって。それで脂身を取っておいたら、まるで牛肉の味だった。それで、次にクマを食べるときはちゃんと脂身を残しておいたわ」。イタチ肉は強烈な味がした。不快な味ではなかったが、口の中に食後もずっと残る味だった。肉は繊維が多く、黒っぽい色をしていた。

＊

長編ノンフィクションの原稿を検討するとき、ショーン編集長はよく「どうしてこれを知っているんですか？」とか「どうしてそう言えますか」、あるいは「どうしたらそんなことがわかるのですか」などと言ったものだ。ノンフィクションを書こうという人なら、誰でも常に真っ先に気にしなければならない質問だという、はっきりとしたメッセージである。

あるとき、ショーン編集長は、本題からそれて考え込み、こんなことを口にしたことがある——若い人たちは「自分がどんなタイプのライターなのかを知るまでに、以前よりも長い時間がかかる」ようになったが、その原因はわからない、と。だが、これらの言葉はそれだけで、現実に対する深い理解を表している。書きたいという衝動はそれなりの落ち着き場所を見つけようとするが、必ずしも見つかるとは限らない。現代文学の授業に出て、さあ自分はロシア文学者になるぞ、などと決める人はいないだろう。それを言うなら、アメリカ文学者になるとか、詩人になるとかさえ、決められないものだ。駆け出しのライターは、実験を積み重ねながら、自分がどんな作家なのかを見つけ出していく。教室内で称賛されたからとか、世間の評判になったからといって、一つのかたちの書き方を最初から選び取り、そのかたちに専念すると、執筆という仕事にそもそもつきまとうリスクを増大することになる。自分自身を見誤り、不向きなジャンルに入り込んで身動きがとれなくなる。よくあることだ。それを避けるには、まずはあらゆるジャンルのものを書いてみることだ。自分は詩人になると思うなら、詩を書けばいい。それもたくさん書くのだ。そのなかでいいと思えるものが一篇もないなら、書いたものを全部捨てればいい。これで詩人ではないことがわかる。詩人ではないが、もしかしたら小説家かもしれない。だが、そうかどうかは、小説を何作か書き上げない限り、わからない。

自分はどんな作家になるのか、いや、そもそも作家になれるだろうか。わたしは十代のころから、またその後も長い間そんな心配をしていた。大学時代はいろいろなジャンルのものを書いた。詩も書いた。友だちのジョージ・ガレットがすばらしい自由詩「ファイア・エンジン」を発表すると、わたしもすぐさま独創性を発揮して「ファイア・プラグ」という詩を『ナッソー文芸誌』に投稿した。短い、不器用な一作だった。T・S・エリオットの詩の一節に倣って、スキーのジャンプ台が『ボストン・イヴニング・トランスクリプト』紙の読者のように風に揺れていると書いたとき、わたしはパロディーを、ましてや盗作を意図したわけではない。当時わたしは十九歳だった。若い作家は、普通は長い時間をかけて自分の分野を、自分にもっとも合っていて、もっとも効果的に書くことができる分野を見つける。要するにショーン編集長は、その時間が時代とともに長くなっていると言っていたのである。だが、いつと比べて長くなったと言ったのか。たぶん一九三〇年代の、彼がまだ駆け出しの編集者だった時代のことだろう。一九五〇年代から六〇年代、わたしにはこの過程がとても長く感じられた。わたしの場合、一時テレビ映画やら何やらを数本手がけたが、その後はフィクションとはほとんど縁がなくなっている。長編ノンフィクションに夢中になったからである。どんなかたちであれ、ものを書くということは難しい。ノンフィクションの執筆も楽な仕事ではない。だが、少なくとも、これがわたしには合っていて、ほかのかたちは合わないのだ。

「人《マン》は、ある一つのスタイルをほかよりも得意とし、ともすればそのスタイルに偏りがちだが、すべてのスタイルを実際に書いてみなければならない」という十七世紀の文人ベン・ジョンソンの言葉は、この過程を要約したものだろうと、わたしは前から考えている。ジェンダーの問題を含む文体はさておき、この一文は若い作家たちへのメッセージだと思う。

芸術はあなたが見つけるところにある。優れた文章もそうだ。わたしにとって、フィクションを書くことは、事実を書くよりもずっと難しい。フィクション作家は試行錯誤を繰り返しながら話を進めなければならないが、ノンフィクション作家は一定の事実の集合体と取り組むのであり、前もって構成を組み立てることができるからだ。フィクションとノンフィクションの境界がぼやけてしまったといわれているが、わたしの目にはそうは映らない。両者の違いは歴然としている。ここに興味深い指摘がある。「小説は事実に忠実でなければならず、事実が真実であればあるだけ、小説はさらに良くなるのだ——私たちはこう教えられました」。ヴァージニア・ウルフが『自分だけの部屋(*A Room of One's Own*)』〔川本静子訳、みすず書房、一九八八年〕で述べている言葉だ。

ショーン編集長は、後継について考えないタイプの指導者だった。独裁者や出版社の社長や校長にありがちなタイプである。とはいえ、当然だが、そんな編集長も歳をとる。次はどうなるかという疑問が、編集長の周りを硬い殻のように取り囲み始めた。編集長は策略を用いて反撃した。一九七〇年代半ばのことだが——実際に引退した少なくとも一〇年前で、引退を考え始めてから五〇年は過ぎたころ——編集長はわたしを呼んで、自分の通常業務の一部を分散するつもりだと言った(ほかのライターたちも同じことを告げられた)。言葉にこそ出さないが、引退のことを考えているという意味だった。記事の編集に関して、今後は編集長ではなく、ミスター・ビンガムと相談してくれという。何か問題があれば、ミスター・ビンガムに連絡するように。ショーン編集長と直々に接するのは、特別な場合、つまり①記事の構想を思いつき、提案したいとき、②記事を書き上げて、編集長に提出したいとき、③記事が印刷に回るときに限るとのことだった。

編集長を務めた最後の一〇年間というもの、ショーン編集長には数えきれないほどの後継者がいた。その数ときたら、フランス人が五〇〇年間に戴いた王太子の数に引けを取らない。ただし、どの後継者も、そう目されただけである。孔子ならこう言っただろう――人は、自分がなろうと思うものにはなれないが、誰かが自分に取って代わることがないように、いっときの間、取り計らうことはできる、と。スタッフライターや編集部員のなかから、ショーン編集長の後継者と目された人が一人ずつ抜擢され、スポットライトを浴びた。だがやがてショーン編集長は、格下げの種を何かしら見つける（または、ある理由でその人に幻滅したように見える）のだった。ただし、その理由として同じ説明を受けた人は二人といない。こうしたやり方は、誤解、不和、憎悪、失望を生んだ。当事者でなくても、こうしたごたごたを見ていただけで悲運の巻き添えを食った人たちも多い。こうした事態は、ほかの面では善意に満ちた独裁の唯一の、とは言えないまでも、おそらくはもっとも残酷なマイナス面を表したと言えるだろう。たとえば、ショーン編集長はロバート・ビンガムに、『ニューヨーカー』誌の次期編集長はきみだ、と告げた。ビンガムは心の準備をしながら、一年か一年半の間、期待を膨らませた。だがある日、編集長から呼び出しを受ける。都合がつくとき、ちょっと立ち寄ってくれないか、と。そして、編集長にはなれないと言い渡される。理由は、ショーン編集長が言うには、満足できる「人柄」ではないからだった。つまり、王太子がお隠れになったわけだ。その後もショーン編集長は、必要とあれば今は亡き王太子の思い出を語り、後継編集長としてこれほどの適任者は、現代史上見つからなかったのに、と困ったように言うのだった。

創作――あらゆる種類の創造的作業――と時間とは互いに分断関係にあることを、ショーン編集長はよく理解していた。わたしが知る限り、これをもっとも端的に言い表しているのは、あのときのショーン編集長の返事だ。あれはわたしが初めて書いた人物紹介記事が、印刷に回される直前のことだった。『ニューヨーカー』誌全体が締切に向かって猛進するさなか、バスケットボールの仕組みを語る記事の中のバックドア・プレーからコンマの役割に至るまでを、編集長と一対一で検討した末に、わたしは感嘆のあまりこんなことを口走ってしまった。「たった一人の執筆者のために、これほど多くを、これほど詳しく、これほど長い時間をかけてくださるんですね。……全体をまとめる貴重な時間なのに」

「時間は必要なだけかかるものなんだ」と、編集長は答えた。

執筆講座の教師として、わたしはこの言葉を二世代の学生たちに繰り返し伝えてきた。作家なら、決して忘れられない言葉である。

＊

作家というものは雪の結晶や指紋のようなもので、同じ作家は二人といないことをショーン編集長は知っていた。誰かがあなたと同じやり方で書くなんてことはない。誰も自分以外の人と同じように書くことはできない。これは事実であり、それだから作家の間では競争なんてものはない。ほかの人から見ると競争のように見えるものは、実際は妬みやゴシップにすぎない。執筆は、厳密にいえば、自分磨きである。競争相手は自分だ。執筆を通して自分を磨くのだ。編集者の目標は、作家がそれぞれ独自の執筆パターンを生かせるように手助けすることだ。

なかには作家の書いたものに自分のパターンを重ね、もし自分が執筆していたらこうしただろうと思われる方向に、物事を無理やりもっていき、それが自分の役目だと思っているらしい人がいる。こういう人は編集者と呼ばれていても、実はそうではなく、リライターである。出版された自分の記事を送ってくる教え子たちは数えきれないほどいるが、たいていは、元の文はこうだったと、余白にたくさん書き込みを入れてくる。知り合いのある編集者は（わたしと仕事上の関係はない人だが）、この問題を別の立場から見て、大方の作家は直しを入れられても仕方がない文を書くと言っている。ただ、この文を書いているこの作家としては、そんな主張を受け入れることはできない。わたしからのアドバイスとして、決して戦いをあきらめず、自分の特徴の生き残りを図れと言いたい。編集者は作家の思考を大いに豊かにしてくれる。だが、作品は作家のものだ。書いた人の署名が入っているのだから。

編集者は、たとえば「ナット・グラフ」のような業界用語を使い、「この記事にはいいナット・グラフが必要だ」などと言うことがある。ナット・グラフとは記事の主題と意図をまとめた冒頭に近いパラグラフのことだ。この種の構成上の形式主義は、ほかによい知恵とて持ち合わせていない人たちの思考を支配するお決まりの方法の一部である。時々、ナット・グラフ信奉者が『ニューヨーカー』誌のお偉方の間にも紛れ込むことがある。あるときそんな一人が、編集者のC・P・クロウに「ナット・グラフが欠けている記事だがね」と言いながら、記事を回してきたという。だが、そのすぐ後で、理由もなくこうも言ったそうだ。「いや、この作者は話の運びがうまいよ」

そこでクロウはこう言った。「それなら、話の運びは作者に任せておきましょうよ」

クロウは三〇年にわたって、時折わたしの記事を担当した。ボブ・ビンガムが亡くなってからは一〇年以上もわたしの主な編集者を務めた。クロウは感じのよい、親しみやすい人で、おしゃべりで思慮深かったと、間違いなく言える。だが、目の前に広げた原稿のことになると、不可解とか謎とまではいかないにしても、わかりにくさの典型ではあった。クロウは記事を気に入ったのだろうか。答えを本人の口から答えを聞くことはないだろう。提出した記事をクロウは採用しなかった。採用したのは総括編集者である。クロウはいったい記事を読んだのだろうか——実は何回も読んでいたことが、次第に詳しく明らかになった。クロウはおいしいものが好きだった。その彼の仕事は、いわば『ニューヨーカー』誌という大調理場で食材庫の管理を統括するガルド・マンジェ〔食品庫係。食材管理、下ごしらえ、冷製料理を担当〕であった。文法校閲、事実確認、初校、再校、最終校正の各業務担当者や弁護士や、そしてよく読んでいないお偉いさんたちが書き入れた傍注を読み、短時間のうちに妥当なものから必要不可欠なものまでを選び出し、著者に伝えるのが仕事であった。

マーク・シンガーやイアン・(サンディ)フレイザーといった『ニューヨーカー』誌の執筆者仲間らと一緒に、クロウはよくわたしの釣り小屋にやってきたが、そんなときは六十歳を過ぎたマークやサンディのことを「あの子たち《ザ・チルドレン》」と呼ぶのだった。一度など、わたしが作り置きした料理を見て、昼過ぎには「黴菌だらけの薄汚いスープ」になってしまうよ、と言ったことがある。わたしが書いた記事にもそんな感想を抱いていたのかと、今でも心配になることがある。だが、ある日、まったく突然、クロウから「いま、きみの記事を読み返したところだよ」と言われたことがある。二五年も前にわたしが書いた何かの記事のことで、クロウはそれを自宅の本棚で見つけたのだそうだ。

編集者はカウンセラーのような存在でもある。出版の過程で、編集者がもっとも執筆者の力になれるのは第一草稿の段階だ。執筆者は主に二種類——明らかに不安を抱えている人と、ひそかに不安を抱えている人——に分けられるが、みな助けを必要としている。助けとは、打ち解けて語られる言葉であり、目下の課題についての洞察や励ましや再確認が含まれる。そんな編集者がいる作家は、まず幸運といわなければならない。編集者と作家の付き合いが長くなればなるほど、二人の話し合いは実り多いものになる。『ニューヨーカー』誌でわたしは本当にラッキーだった。ウィリアム・ショーン編集長との出会いに続いて、ボブ・ビンガム、セイラ・リッピンコット、パット・クロウ、ジョン・ベネット、デイヴィッド・レムニックらすばらしい編集者に恵まれた。また、ファラー・ストラウス・アンド・ジルー社（FSG）からの出版にあたり、ハロルド・ヴァーセル、トム・スチュワート、パトリシア・ストラッカン、エリシヴァ・アーバス、リンダ・ヒーリー、ナターシャ・ウィマー、ジョナサン・ガロッシ、アレクサンダー・スター、そしてポール・イーライの各氏のお世話になった。イーライはまた、わたしが尊敬するノンフィクション作家でもあり、編集者として、わたしの書いたものを自身の作品のように丁寧に見届けてくれる。

*

ウィリアム・ショーンとFSGの社長ロジャー・W・ストラウス・ジュニアは数十年来の友だちだった。実際、ロジャーは一九八七年にショーンを雇い入れ、ユニオン・スクエアに専用のオフィスを設けた。『ニューヨーカー』誌の新しい社主が、ショーンにあることをさせたからだ。つまり、ショーンが自分ではするつもりがなかったこと、すなわち引退をさせたのだ。ロジャーとショーン編集長の相違点ときたら、いくら強調してもしすぎることはない。二人が並べば、まるで鞘の中に納まったマメと小エビ《ピー・アンド・プローン》だった。ショーンは中流階級の商人の家に育った。ロジャーは銅のスプーンを口にくわえて生まれてきた（ケネコット・コッパー社やアサルコ社が生産する銅だ）。母親が、鉱山経営で財を成したグッゲンハイム家の出だったのだ。ショーンは内気で、話し方も穏やかだが、ロジャーはおしゃべりだった。言葉がぽんぽんと猛スピードで飛び出してくるので、一センテンスおきに「などなど、その他もろもろ」などと言って、端折ってしまう。「マーヴェラス（すばらしい）」は、ロジャーが言うと「マーヴラス」になった、ロジャーはおしゃれな言葉をたくさん使った。

ロジャーは編集者ではなく出版人だったが、作家たちには会話を通して、大いなる、と言わざるを得ない心遣いを示した。ちょっとうるさいときもあった。奇妙なことに、わたしはよくロジャーから、いったいいつになったら『ニューヨーカー』の記事をちゃんと書き上げるつもりかい、などとはっぱをかけられた。ショーン編集長からは二二年間に、一度もそんなことを言われた覚えはない。とはいえ、ロジャーの場合はただそんなことを言うだけだった。それも、じかに会うのは時たまで、たいていは電話での会話だった。ロジャーは、わたしがまだ駆け出しのころから電話をくれるようになり、一九六五年には初めて単行本を出してくれた。それ以後、かれこれ四〇年間というもの、ロジャーからは一年間に四〇回ほど電話をもらった。

ロジャーはロートス・クラブの会員だった。このクラブは文学・芸術畑の人びとを中心とした集まりで、アッパー・イースト・サイドにクラブハウスを構えている。一九九〇年代の初め、クラブでロジャーのために晩餐会を催すことになり、トム・ウルフとわたしは、いわばFSG専属作家としてスピーチを依頼された。その日がやってきて、わたしの番になった。スピーチはこんな具合に始まった。「今日はちょっとメモを見ながらお話しさせていただきますが、どうぞお許しください。作家と版元としてのわたしたちのお付き合いはもうかれこれ三〇年も続いていますけれども、口を差し挟むチャンスがわたしに回ってきたのは何しろ今日が初めてなので、ひと言も漏らしたくないのです。今日、この一月三十日にスピーチを、という依頼をいただいたのは去年の秋でした。それからすぐにロジャーが電話をくれて、これはクラブがまったく独自に企画した会で、自分の希望じゃないなどなど、その他もろもろ述べ立て、そのうえ、『実のところ、きみはあんまり頭脳明晰じゃないとクラブには伝えておいたよ』と言うのです。ロジャーは自分のせいでわたしに負担をかけたくない、プリンストンからわざわざ出てくる必要はないさ、などなど、その他もろもろ付け加えました。

そこでわたしが『そんなことは問題じゃない。相談したいことは別にあるんだ。ロートス・クラブでは、こん畜生《ファック・ユー》を、使ってもいいんだろうか』と訊きますと、ロジャーはこう答えました。『ああ、なるほど、きみはそんなこと考えてるんだな。もちろん、構わないさ。まったく問題ないよ。だいいち、きみは会員じゃないんだから』」

わたしはまだごく若いうちから、将来ロジャー・ストラウスと付き合うための備えを、知らず知らずのうちに固めていたようだ。わたしの祖父は出版社を経営していた。おじも、だ。出版社の名前はジョン・C・ウィンストン社、ペンシルヴェニア州フィラデルフィア市の「書籍・聖書出版社」だった。出版リストの中に「シルバー・チーフ」というシリーズがあった。極寒の地でそりを引く犬の物語だ。少年時代のわたしの、あの犬はヒーローだった。ある日、このシリーズを書いたジャック・オブライエン氏が亡くなったと新聞で読んで大いに悲しんだものだ。数年後、わたしは高校生になり、ボブおじさんの出版社は社名がホルト・ラインハート・アンド・ウィンストンに変わり、おじさんはニューヨークで仕事をするようになった。ある日、おじさんの会社を訪ねたときのことだ。男の人がおじさんに会いに来た。「ほら、ジャック・オブライエンさんにご挨拶しなさい。『シルバー・チーフ』を書いていらっしゃる方だよ、ジョン」。わたしは作家と握手をした。それほど冷たくはない手だった。ぼくは、お客さんが帰ってからボブおじさんに「オブライエンさんって、死んだんじゃないの？」と訊いた。

「そうだよ。たしかに亡くなってる。実はね、わが社はジャック・オブライエンを二、三人抱えてるんだ。作家なんてものは二束三文、どこにでもいるけど、あの犬は不死身なんだよ」

以前からいろいろなところで言っていることだが、ロジャー・ストラウスはわたしの祖父だけでなく曾祖父とも気が合ったに違いないと思う。曾祖父はジョゼフ・パーマーという百姓で、フィラデルフィアからおよそ五〇キロのところにあるドゥ・ランに水車池と製材所を持っていた。いろんなものを作る人だったが、なかでもブック・ボードを、つまり今日ではハードカバー本と呼ばれる本の硬い部分を作って、それをチャールズ・ジーグラーに売っていた。このジーグラーというのはわたしの大おじに当たる人で、フランクリン・バインダリーという製本会社を経営していた。この会社の最上得意先がジョン・C・ウィンストン社だったというわけだ。ウィンストン社は聖書の発行部数で世界一だと自賛していた。出版リストのもう一方の端にわたしの祖父の自慢の製品が、新聞の号外をハードカバー本にしたような本だったが、載っていた。一九一二年に祖父が出版したタイタニック号の悲劇をめぐる一作である。沈没現場の海面一帯に泡が浮かび、氷がまだ溶けきれないうちに世に出た、急ごしらえの本だった。

出版人とあって、祖父は当然のことながら、柄に真珠飾りを施した44口径コルト・ピースメーカーを二丁、ビロードの裏地が付いた箱に入れて書斎に置いていた。

わたしはロジャー・ストラウスとはエージェント抜きで契約を交わし、その細目は個人的な会話の中で取り決めるのが常だった。賢いやり方でなかったろう。一度、「エージェント抜きということで、わたしはいったいいくらぐらい損をしているのかな」とロジャーに訊いたことがある。「それほどでもないよ」が答えだった。

以前、著者としてわたしの名が記された、とんでもなく高いハードカバー本の契約交渉をしていたとき、前払いをお願いすると、ロジャーに「馬鹿を言え！《ファック・ユー》」と言われた。このとおりの言葉を使って、本当にそう言ったのだ。だが、実のところ、この本はほかのいろいろな既刊本からの寄せ集めで、わたしは前払金をもうずっと前に受け取っていたのだった。

世に出したいのは本ではなく、著者だと、ロジャーはいつも言っていた。称賛に値する高尚な持論だが、犬を飼っているなら、パーティーに連れてきてもいいよと言われている感じがしないでもない。一九六八年、わたしの五冊目となる初めての作品集の出版を検討していたときのことだ。わたしはロジャーに言った。「こりゃ、一銭にもならない企画だ。作品集なんか売れないよ。出してくれるだけでありがたいんだ。前払いなんか受け取れない」

「くだらんこと言うなよ」とロジャー。「出版するのはこっちだ。もちろん前払いは払う、絶対に」。続けてロジャーは金額を言ったが、それはここに書くのがはばかられるほどの額だった。

いや、実は一五〇〇ドルだった。一九六九年に刊行されたこの本は売れ行きが芳しくなく、この一五〇〇ドル分を売るのに一四年もかかった。だが、気づいてほしいことがある。これほど長い年月の間、この本は絶版にならなかったのだ。この本は商業的には失敗だった。たとえ正直に『残りもの』というタイトルをつけたとしても、売上に違いはなかったはずだ。大手出版社から刊行されたら、初版の三週間後には消え去っていただろう。だが、ロジャーは刷り続けてくれた。わたしのほかの本もすべて、取るに足りない作品もそうでない作品も、ハードカバーもソフトカバーも刷り続けてくれた。ロジャーから受け取った小切手を換金しに銀行に行くと、きまって窓口の後ろから行員のくすくす笑いが聞こえたものだ。だが、金に敏感だとされるスコットランド人の血を引いているとはいえ、わたしは完全に満足していた。二十一世紀の最初の一〇年間に、雑多な記事を寄せ集めたあの古い作品集は、年間七〇〇部が売れた。わずかである。だが、あの本が、いや、どんな本であれ一般書が四〇年以上生き続けるとすれば、それは驚異的な長寿である。ひとえに出版社のおかげだ。まさに、あの不死身の犬のようだ。

ロートス・クラブのスピーチでは、こんなことをいくつかざっと話してから、わたしはこう結んだ。「トム・ウルフとわたしが今日ここにいるのは、トムが出版界のワシで、わたしはラバだからです。別に、わざとへりくだってこんなことを言っているのではありません。これはまったくの事実だから言うのです。わたしときたら、マッチを手渡されても、火の起こし方がわからないんですから。わたしは地質学のことを書くのが仕事ですから、岩を売っているようなものだ。ユニオン・スクエアには、そんな本でも喜んで買ってくれる物好きがいるんです」

わたしは一九七五年にプリンストン大学のノンフィクション執筆講座で教え始めたのだが、今世紀の初めごろまでロジャーは毎年、ベンツで教室にやってきて、集まった学生に向かってノンストップでしゃべり続け、「などなど、その他もろもろ」を連発した。累積繰り返し率は四パーセントといったところだ。癌《がん》に侵され、体調が思わしくない時期にも、何回も教室に足を運んでくれた。学生たちはいつも質問をしたくてうずうずしていたが、質問は一つで十分だった。「アレクサンダー・ソルジェニーツィンについて教えていただけますか」などという質問を受けると、ロジャーは「わたしがあの偉大な作家と親交を結んだのは、もうかれこれ一八年前になりますが……」と切り出し、それから三時間も自由連想で滔々《とうとう》と語るのだった。

あるとき、『ニューヨーカー』誌は破滅に向かって突っ走っている、と見たロジャーはわたしの大学の研究室に来て、五つの作品の出版契約を申し出てくれた。合計金額は、ヘッジファンドのディーラーをうならせるほどではなかったにしろ、著作権代理人がその場にいたら感嘆の声を上げたに違いない額だった。実際、わたしは二〇〇四年にロジャーの葬式でこう述べたのだった。「今までわたしが生き延びてきたのは、あの金のおかげでした。たぶん、ロジャーはそうなることを知っていたのでしょう。わたしがロジャーの弔辞を述べることになってしまい、まことに残念です。ロジャーがわたしの葬式で弔辞を述べるほうが、ずっと面白い弔辞が聞けたと思うのです。ロジャーとの対話、何百回にもわたる電話での話し合いもいつかは終わること、絶妙なユーモアも聞けなくなる日がくることを、わたしは努めて考えないようにしてきました。わたしが三十代、四十代、五十代、そして六十代のとき、ロジャーはそこにいた。七十代に入ってもまだ、ロジャーはわたしの手綱を握っていました。もしロジャーがわたしにかけたかもしれない金をとっておいたというなら、それでとてもよかったと今は思います。ロジャーがその金を持っていて、必要としているのは確かですから」

取材

カフカと一緒に天井に止まっていられたらと、人と会ってインタビューするときにわたしはいつも思う。人のすることを観察するほうが、デスクを挟んで話し合うよりもずっと楽しい。何百時間もトラックの、たいていは道路のはるか上方にある助手席に座り、上下に激しく揺られながらメモを取り続けたことがある。バックパックをかつぎ、環境保護運動家のデイヴィッド・ブラウアーの後ろについてジグザグ道を上り下りしながらメモを取り続け、ノースカスケード国立公園の端から端へ歩いたこともある。相手がデスクの向こうに座っていたとしても、ついていけないほど早口でしゃべる人もいる。メイン州ウォータヴィルの外科医、アラン・ヒューム医学博士がそうだった。ヒューム先生には堅苦しいところがまったくなかった。話し方は明快でスピードがあり、流暢で正確だった。わたしは先生についていこうとして必死でメモを取ったが、話が血中ガスの生化学に及ぶともうお手上げで、メモをあきらめ、あとは日本製の録音機に任せることにした。

アパラチア山脈の地質を専門に研究する世界屈指の学者たちと、ヴァーモント州で現地調査に出かけたところを想像してみてほしい。一行は地層が露出しているところに集まり、侃侃諤諤《かんかんがくがく》の議論を始める。基盤剝離だの、溶結底盤だの、構造層序学の問題点などといった用語が飛び交う。わたしの学習曲線は下のほうで横ばい状態だから、一般用語の「テレーン（terrane）」と地質学用語の「テレーン（terraine）」の違いもわからない。さあ、どうしよう――露頭にボイスレコーダーを置けばいい。

「これはフォシル・コントロールがない」

「これは北アメリカの末端相だ」

こんな会話が何を意味するかは、後で調べることができる。

ドキュメンタリー映画の撮影班が、ただそこにいるだけで撮影現場を様変わりさせるように、ボイスレコーダーを置くとインタビューの環境に影響が出る。わたしから目をそらし、レコーダーに向かって話す人もいる。そのうえ、せっかく質問をしながら、相手の答えを聞いていない自分に気づくこともある。ボイスレコーダーは便利だが、初めから必要なものではない。むしろ、リリーフピッチャーとして使うものだ。

どんな取材であれ、記憶に頼ってはいけない。昼間に誰かが言ったことを、夕方になって一語一句そのまま思い出せるなどと、ゆめゆめ思ってはいけない。それに、メモをトイレなんかで書きとめてはいけない。つまり、誰かがカクテル片手にしゃべったことを、トイレでこそこそメモするなんてことはやめたほうがいい。最初から、自分は取材をしていることを、また記事がどこから出版される予定かをはっきり言わなければならない。メモ帳は入漁許可証のようなものだから、堂々と提示すべし。インタビューが続く間、メモ取りはボイスレコーダーに勝る力を発揮する。インタビューの相手は当然、取材者がメモをするところを見ている。話の途中で書くペースが落ちたり、書くのをやめたりすることもあるだろう。すると、話し続けていた相手はそれに気づいて緊張し、もっとよく説明しようとして、ことによると極秘中の極秘情報をポロリと話すかもしれないし、すでに述べたことをさらに説明しようとして名台詞を吐くかもしれない。反対に、相手の話がまったく面白くなくても、取材者はただ書いているふりをして、インタビューを進めることができる。

何もせずに有用な反応を引き出したいなら、馬鹿なふりをすればいい。この取材者は頭の働きが少々鈍いようだ、と相手が感じれば、こちらは明らかに優位に立てる。わからなくて困っているこの人を助けられるのは、質問に答えているこの自分しかいない、と相手は思うだろう。その逆に、取材者が物知り顔でペラペラしゃべれば、相手は黙り込むに違いない。そうなったら最悪だ。この人はわかっていないようだ、と相手が思えば、わからせようとするだろう。内容を活字にすることを考えながら相手の話に耳を傾けるときは、返答をはっきり活字にできるまで、何回も何回も繰り返し質問すればいい。段ボール箱みたいな頭のやつだと思われたところで構いはしない。記者用語ではこれを「創造的ヘマ」と呼ぶ。

わたしはこうしたやり方を、『タイム』誌にいた駆け出しのころ、芸能人のインタビューをしながら身につけた。かなり気難しい人、それほどでもない人といろいろな芸能人を取材したが、ウッディ・アレンほど率直で愛想のいい人はいなかった。今では考えられないことだが、彼はよくロックフェラー・センターのタイム本社に来ては、わたしの小さな仕事場に立ち寄ったものだ。当時二十七歳のアレンは「潜在的異性愛者」を名乗り、子宮に——「誰のでも」いいから——戻りたくてしょうがないんだ、などと言っていた。わたしは記事で彼のことを「スポーツジャケットを着た、頭の平たい赤毛のキツネザル」などと紹介し、噛んで短くなった爪のことも付け加えた。アレンは「音が出るほど汗をかく」人たちのことを話した。父親は工場で働いていたが、ちょっとした小道具に取って代わられ、母親はそんな小道具の一つを買ったんだ、などとも言っていた。わたしがインタビューをしたころ、ウッディ・アレンはグリニッジ・ヴィレッジのナイトクラブでお笑いショーをする芸人だった。テレビのコメディ番組の脚本家でもあり、ギャグの台本を二年間に二万五〇〇〇本も書いたという。そのいくつかを彼は気軽にわたしに話し、こちらも気軽に聞いていた。

取材の難しさから言えば、ジャッキー・グリーソンの右に出る者はいなかった。ポール・ニューマンと共演した一九六一年の映画『ハスラー（*The Hustler*）』を機に、それまで長らくテレビの仕事をしていたグリーソンは人気を取り戻し、『タイム』の表紙を飾ることになった。そのための取材を申し込んだとき、グリーソンは新作『レクイエム・フォア・ア・ヘヴィーウェイト（*Requiem for a Heavyweight*）』の撮影に入っていた。ミッキー・ルーニーや、当時はまだカシアス・クレイと名乗っていたモハメド・アリらとの共演作である。十二月、イースト川に浮かぶランドールズ島の撮影現場を訪れると、出演者はみな　スタジアムの下に作られた薄暗く不衛生なセットに集まっていた。グリーソンは小型トレーラーを楽屋にしていた。車内に一歩足を踏み入れると、床はギシギシと音を立てて一五センチほどもへこみ、車体がひっくり返りそうになる。取材が始まって二、三日の間、グリーソンは毎日わたしをこの楽屋に招き、辛抱強く、機嫌よく質問に答えてくれた。だが、態度豹変の日はすぐにやってきて、わたしは追い出された。わたしが暗殺者どもの手先で、自分を殺そうとしていると言うのだった。だが、それでもグリーソンはわたしを「きみ《パル》」と呼び続けた。

「きみ、全部終わりだ」

グリーソンは、ランドールズ島にいなければ、西五二丁目にあるジャック・アンド・チャーリーズ・トゥウェンティー・ワンという店で仲間と一緒に過ごしていた。当時の仲間といえば、『レクイエム・フォア・ア・ヘヴィーウェイト』の監督のラルフ・ネルソンやプロデューサーのデイヴィッド・サスキンド、それにミッキー・ルーニーたちだ。この連中が、『タイム』誌は実は暗殺団の砦《とりで》なんだと、グリーソンに吹き込んでいたのである。どうしてわたしが知っているかって？グリーソンから聞いたのだ。彼はそれが本当だと信じ、自分は風刺され、評判がずたずたになる、と思い込んでいた。グリーソンは大酒飲みだと噂されていて、仲間の一人からこう言われたのだった。「ジャッキーよ、雑誌の連中は、きみのことをどうしようもないへべれけ野郎だと書くつもりだぜ」

いや、雑誌の連中はそんなつもりはなかった。そんなことを書く理由もまったくなかった。

当時のグリーソンは、CBSのドラマ「ザ・ハネムーナーズ」でコメディアンとしてスターの座の頂点に立ってから六年が過ぎていた。冠番組のコメディ・シリーズ「ジャッキー・グリーソン・ショー」ではレジナルド・ヴァン・グリーソン三世、フェンウィック・バビット、ラム・ダムといった役でスキットを演じ、ローレンス・オリヴィエとは到底比べられないものの、まあまあの人気俳優だった。そして今、ハリウッド映画の第一級のスターとして新たな名声を得ようとしている。『タイム』の記事は、ざっとこんな内容にするつもりだった。

ビリヤードのプロ、ミネソタ・ファッツを演じるのは、意外や意外、ジャッキー・グリーソンである。アメリカのテレビ界でもっとも有名なおどけ者にたっぷり笑わせてもらおうと期待して映画を観に来た人たちはみな、一様に驚くことになる。この優れた道化役者は、優れた演技力を隠し持っていたのだ。話題のコメディアンで、エゴイスト、ゴルファー、大食漢、神秘主義者、催眠術師、大酒飲み、ほら吹きを自任するグリーソンは、いまや映画界の一流スターとして浮上しつつある。

こんな方向で記事を書くつもりだと、わたしは電話でグリーソンに説明した。だが返事は「じゃあ、さよならだ」。

二、三日後、グリーソンは電話をよこし、この件について考え直したので、またランドール島のトレーラーに来てもいいよと言った。わたしはインタビューを再開し、ふたたび放り出されるまで続けた。今度はミッキー・ルーニーがどんな悪口を言ったのか、わざわざ書き記すまでもないだろう。

こんな調子でインタビューは途切れたり再開したりを繰り返したが、それでも実際に進展した。グリーソンは気さくでユーモアがあり、どんな質問にも、よく考えて完璧に答えようとしていた。だが、ついにある朝、グリーソンから電話で、もう来るな、今度こそ本当に終わりだと告げられた。

「もうこれきりだ、お・わ・り」

表紙を飾るグリーソンのアクリル肖像画の作成を任されていたのは、フリーランスのアーティスト、ラッセル・ホーバンだった。ラルフ・ネルソンとデイヴィッド・サスキンドとミッキー・ルーニーは、ホーバンを説得して肖像画をトゥウェンティー・ワン店に持ってこさせた。ホーバンがグリーソン本人とその顧問団の前で肖像画の覆いを取ると、たしかにそれはグリーティング・カードには使えそうもなく、ノーマン・ロックウェルの作品と見紛うはずもない絵だった。意地の悪い人なら、南イタリアのカラブリア料理レストランでよく見かけるボトルの密閉ワックスに似ていると言ったかもしれない。顧問団が一斉に声を上げた。「ほらな、ジャッキー、これでわかっただろ。あの雑誌はきみがどうしようもないへべれけ野郎だと書くつもりなんだ」

次の日わたしは、最後にもう一度だけと思い、グリーソンに電話した。彼はトゥウェンティー・ワンの店に戻っていたが、周りに顧問団はいなかった。わたしはあの肖像画を見ていないし、自分はあれとは一切関係ないんです、と説明し、自分はただ純粋にあなたという人物を称賛する記事を書くつもりですと付け加えた。そうしない理由はまったくないのですから、と。

「きみは平の記者だろ。なんだかんだと言ってるが、何もできないんじゃないか。『タイム』の責任者じゃないんだから」

それはそのとおりなんですけど、とわたし。

「責任者は誰だ?」とグリーソン。

「オットー・フュルブリンガーという者です」

「誰なんだ、そいつは」

「わが社の編集局長です。会ってくださいますか」

「いいだろう」

「それでは、局長と打ち合わせます」

わたしはいくつも廊下を渡り、編集フロアのずっと奥まで行った。フュルブリンガーは編集局長室にいたが、状況を説明すると、立ち上がり、エレベーターに乗った。タイム&ライフ・ビルから北へ二ブロック歩けば五二丁目、東へ折れてトゥウェンティー・ワンの店へ向かう。

グリーソン「『タイム』の責任者は誰だ?」
フュルブリンガー「わたしです」
グリーソン「最終決定権は?」
フュルブリンガー「わたしにあります」
わがフュルブリンガー編集局長はその立派な名に恥じず、腰抜けではなかった。低い声で穏やかに話し、表情も至極にこやかだが、何事にもたじろぐことがない。ゆっくりと、着実に、編集局長はラルフ・ネルソンやデイヴィッド・サスキンドやミッキー・ルーニーが残したにおいの跡を消していった。グリーソンの肖像画と特集記事は、『タイム』誌の一九六二年十二月二十九日号に掲載された。

それまでにロケ現場は、ランドール島からブロードウェーのジャック・デンプシー・レストランに移っていた。自分の肖像画が表紙を飾る雑誌を手渡されると、グリーソンはちょっと休憩してくれと言い、一人離れてバーに行き、ゆっくりページをめくり始めたという。後日、わたしにこのことを教えてくれたのは、映画会社の広報担当者グレッグ・モリソンで、その話によれば、グリーソンは少なくとも三〇分は、無表情にページをめくり続けていた。

「とてつもないエゴとものすごい自尊心がなければ、役者なんか務まるもんじゃない」と、グリーソンは言う。さまざまな見方があるが、とどのつまりグリーソンは親切で、心が広く、無礼で頑固、激しやすく、直情的、頭が切れて、いたずら好きな男だ。社交的で華やかなことが好きだが、プライバシーを神聖視する。いっとき気の利いた冗談を飛ばしていたかと思えば、もう一人きりで椅子に座り、物静かで、近寄りがたい雰囲気を漂わせる。しょっちゅう退屈している。

郵便はがき

おそれいりますが切手をおはりください。

101-0052

東京都千代田区神田小川町3-24

白水社 行

購読申込書

■ご注文の書籍はご指定の書店にお届けします。なお，直送をご希望の場合は冊数に関係なく送料300円をご負担願います。

書名	本体価格	部数

★価格は税抜きです

(ふりがな)

お名前 (Tel.)

ご住所 (〒)

ご指定書店名（必ずご記入ください） Tel.	取次	（この欄は小社で記入いたします）

『ピュリツァー賞作家が明かす ノンフィクションの技法』について (9749)

■その他小社出版物についてのご意見・ご感想もお書きください。

■あなたのコメントを広告やホームページ等で紹介してもよろしいですか？
1. はい（お名前は掲載しません。紹介させていただいた方には粗品を進呈します） 2. いいえ

ご住所	〒 電話（ ）		
（ふりがな）お名前	（ 歳） 1. 男 2. 女		
ご職業または学校名		お求めの書店名	

■この本を何でお知りになりましたか？
1. 新聞広告（朝日・毎日・読売・日経・他〈 〉）
2. 雑誌広告（雑誌名 ）
3. 書評（新聞または雑誌名 ） 4.《白水社の本棚》を見て
5. 店頭で見て 6. 白水社のホームページを見て 7. その他（ ）

■お買い求めの動機は？
1. 著者・翻訳者に関心があるので 2. タイトルに引かれて 3. 帯の文章を読んで
4. 広告を見て 5. 装丁が良かったので 6. その他（ ）

■出版案内ご入用の方はご希望のものに印をおつけください。
1. 白水社ブックカタログ 2. 新書カタログ 3. 辞典・語学書カタログ
4. パブリッシャーズ・レビュー《白水社の本棚》（新刊案内／1・4・7・10月刊）

※ご記入いただいた個人情報は、ご希望のあった目録などの送付、また今後の本作りの参考にさせていただく以外の目的で使用することはありません。なお書店を指定して書籍を注文された場合は、お名前・ご住所・お電話番号をご指定書店に連絡させていただきます。

普通の会話ではそうとも言えないが、演技しているときは聞き上手だ。グリーソンの笑い声はティンパニの音に似ている。怖いものは飛行機とよそ者。「陽気に騒いでいても、誰か知らない人が入ると、厚い殻に閉じこもってしまう」と、元スタッフの一人は言う。語彙が豊富だ。時々、言葉のボールをスライスしてラフに打ち込むことがある――「これを誤った概念《ミスコンセプト》しないでくれ」とか「あいつは偉大な内省《イントロスペクト》男だ」など。とはいえ、しょっちゅう使う形容詞は「すばらしい《ビューティフル》」であり、お気に入りの名詞は「きみ《パル》」、好きなフレーズは「すばらしいよ、きみ、すばらしい」だ。


グリーソンは立ち上がって、バーの外の電話ブースに入った。

わたしの電話が鳴った。「もしもし」

グリーソン「きみ、これで自分が二セントほどしか価値のない、くだらない人間だとよくわかったよ」

いや、グリーソンはそれよりはるかに多額の金の源になると踏んだ人たちもいた。一九六二年か六三年――どちらだったか忘れた――のことだが、西五七丁目にあるグリーソンの事務所に一人の男がやってきて、「ジョン・マクフィー」だと名乗り、金を貸してくれと言った。事務所のスタッフが、ちょうどそのときフロリダのゴルフ場にいたグリーソンに電話で相談すると、「どんな男か、言ってみてくれ」という。

「そうですね、とっても背の高い人です」とスタッフ。

そこで、「じゃあ、すぐ警察に連絡しろ」となった。

＊

わたしはジャッキー・グリーソンの取材にレコーダーを使わなかった。鉛筆と罫線付きの小型ノートという、自分の基本技術で十分対応できたからだ。グリーソンは、ペースもよく考えて、はっきりと話してくれた。それに、たいがいの人がそうだが、グリーソンだって年がら年中面白いことを言っていたわけではない。書くことは選択だ。ノート取りは常に選択しながらの作業である。わたしは、実際にノートに書きとめたことよりもはるかに多くを省いていた。

インタビューの前にどんな準備をしていますか、と学生たちによく訊かれる。率直にいえば、たいしたことはしていない。とはいえ、相手に対する礼儀からも、最小限のことはすべきである。カナダのスティーヴン・ハーパー首相に向かって、お仕事は何ですかなどと訊きたくはないだろう。一回きりであれ、数回続けてであれ、インタビューの前とその間、そして終わってからも、事情が求める限りたくさん読むことだ。自分が何を知らないかは、記事を書く過程でわかってくるものである。正しく理解するには本を読まなくてはならない。それでも間違えるだろう。とくに英文学を専攻した数字に弱い人が、科学関連の記事を書くときは要注意だ。わたしが、プリンストン大学の地質学者で南アフリカ出身のロバート・ハーグレーヴズを取材したときがそうだった。この記事ではマール・ダイアトリーム火山のことに触れ、マントルに含まれた炭素が超高密度の状態で急速に地表近くへと運ばれ、火山岩頸の中でダイヤモンドとして冷えて固まる過程を書きたかった。取材した相手には原稿を見せないというのが報道界の習慣――基本的には一つのルール――である。多くの場合、取材相手が原稿を読めば、手を入れたくなるだろう。それればかりか、その人の自尊心《エゴ》が企画そのものを台無しにするかもしれない。だが、わたしにとって科学は例外だったし、例外があるからこそルールの存在が証明されるというものだ。わたしが科学モノを書く場合、取材した相手の科学者に精査してもらわないまま発表したことは、これまでに一度もない。マール・ダイアストリーム火山についてのわたしの原稿を読んだロバート・ハーグレーヴズは、書いてあることは半分正しいと言ってくれた。二、三日後、わたしは改訂版を提出し、三分の二は正しいと評価された。さらに数日後、もう一度原稿に目を通してほしいとお願いした。今度は「間違いは何も見つかりませんでしたよ」との返事をもらった。まるで博士号をもらったような気分だった。少々頭が足りない博士かもしれないが。

インタビューの相手は、誰もがロバート・ハーグレーヴズのように公平無私で、ジャック・グリーソンのように物わかりがいいわけではない。取材に応じはしても、やがて書き上がった記事がどんな影響をもたらすかを、その時点で理解している人は少ない。取材側が、相手の目の前でメモを広げ、記事になるとどんなことが、どこで起きるかをきちんと説明しても、それだけでは十分とは言えない。たしかに、わたしが取材した人たちのなかには、メトロポリタン美術館のホヴィング館長のように記事がどんなふうにでき上がっていくかを、コンマの位置まで指定できるほどよく知っている人もいた。だが、そんな人は珍しい。たいていの人はその対極にいる。だから、記者は取材相手に対して公正でなければならない。相手は記者を信頼して、おそらくは無意識に、自分が語る言葉とその内容を記者の手に委ねているのだから。たしかに、穏やかで、冷静で、自信に溢れ、どこかの誰かに何と言われようと気にしない人もいる。だがそんな人は、記者に命を預けた人たちのほんの一部にすぎない。

取材相手との関係が持つさまざまな側面のなかで、わたしがもっとも重大だと思うのは時間である。日刊紙の記者は、取材に出て、ネタを見つけ、記事をその日のうちに書く。息をのむ妙技だ。わたしが取材にかける時間は、比べものにならない。ニューヨーク市のグリーンマーケットを四カ月かけて取材し、空飛ぶ猟区管理官と三週間、ネヴァダ州の家畜銘柄検査人とは二週間を過ごした。アラスカへは一度に数カ月かけて何回も旅をし、取材は三年に及んだ。取材相手に質問する特別なテクニックなど、わたしは持っていない。ただ、そこにいて人びとがすることを目立たないように、そっと見ているだけだ。

一九六六年一月十六日付『ニューヨーク・タイムズ・ブックレビュー』誌の読者質問欄で、ジャーナリストのジョージ・プリンプトンがトルーマン・カポーティの言葉を引用している。それによれば、カポーティは人と話したことを正確に思い出す術を習得しており、ノートも取らず、レコーダーも使わずにインタビューをし、その内容を数時間後には一言一句を文字に起こすことができ、その正確度は九〇パーセントを超えたという。

一九九一年、『ニューヨーク・タイムズ・マガジン』の編集長だったジェイムズ・アトラスは、ある記事で引用符号とこの符号で囲まれた部分を取り上げている。引用する人、される人の例としてアトラスは、ジョンソン博士が晩餐会で語った言葉を引用したボズウェルを挙げている。食事をほお張りながらジョンソン博士はこう言ったという。「男と女が結婚という状態で生活することは自然な状態とあまりにもかけ離れているので、その関係にとどまろうとする彼らのあらゆる意図も、彼らを離れ離れにしないために文明社会が課すさまざまな制限も、彼らを一緒にしておくには到底十分とは言えない」。アトラスはこうコメントしている。「ジョンソン博士は言葉の天才だったが、それにしても、よくこんなに長くしゃべったものだ」。続けてボズウェルの努力を評価して　こうも付け加えている。「ボズウェルは根気強くメモを取った。単語を短縮しながら、数行をさっと書いてしまう。ボズウェルはこれを自分の『携行食スープ』と呼んでいた。『ただのヒントで、起きたことを後になってすべて思い出すためです。わたし以外には誰にとっても無駄なことでしょう』」。いや、無駄だと思うのは、カポーティくらいのものだろう。何しろカポーティはすべて思い出すことができたのだから。

言葉はいったん記録したら、次に処理をしなければならない。無駄をそぎ落とし、整理して、曖昧な話し言葉を出版に耐える明瞭な文章へと書き換えるのである。話し言葉と出版物の文章は同じではない。話された言葉をよく考えもせずにそのまま文字にしても、無駄をそぎ落とし整理した会話ほどには、話をした当人を正確に描き出せないことがある。どうか理解してほしい。肝心なのは無駄をそぎ落とし、整理することだ。つまり、「えーと」だの「あのー」だの「いや、そうではなくて」などといった言い直しを省くのであって、でっち上げるのではない。

アンリ・ヴァイヤンクール——わたしはこの人が作ったバークカヌーに乗り込んでノース・メインウッズを旅したのだが——は、「まったくな《バマー》」(中川美和子訳)が口癖だった。わたしは一日に少なくとも一四時間はそばにいてメモを取っていたが、アンリは一時間に少なくとも六〇回は「バマー」を口にした。いや、少なくともそう感じられた。いずれにせよ、わたしのノートはすぐにこの言葉でいっぱいになった。わたしはその三分の二を、記事に起こすときに意識して省いた。だが、記事が出版された後で、友だちからも、見知らぬ読者からも、あんなにしょっちゅう「バマー」を連発する人間などいるものかと言われたのだった。

ついでにここで、括弧でくくった部分が持つ厄介な問題を取り上げよう。括弧内にさらに括弧がある文は、代名詞の影響を受けることがある。代名詞の意味が変わるのだ。一例として「彼は波止場に着き、そこで『わたしの船《マイ・シップ》がもう港に入っている』ことを知った」という文を見てみよう。誰の船のことだろう？　文を書いた人の船か。このような文章を聴衆の前で、あるいは朗読CDに収録するために声に出して読んでみよう。この一文は事実に基づいているし、句読点も注意深く振られている。だが、やはりどこかおかしいのだ。わたしはもう四〇年間というもの、学生たちがこうした組み立ての文章を書かないように教えてきたのだが、結果は失敗の連続である。

一九九一年に連邦最高裁判所で争われた名誉棄損訴訟で、精査の対象となった多くの慣行の一つに、ジャーナリストによる直接話法の扱いがあった。多数意見を書いたアントニー・M・ケネディ判事はその中で、引用された会話について次のように言っている。「逐語的引用の変更は、ある意味で正しくないことだが、作家や記者は必然的に、少なくとも構文上あるいは文法的に不適切な表現を取り除くために、人が言った言葉に変更を加える」。分別のある「読者なら、引用句とは、主語による陳述の、ほぼ逐語的な報告であることを理解するだろう」。注目すべきは、ここでケネディ判事が「少なくとも」と言い、「ほぼ逐語的な」と言い、さらに「必然的に……変更を加える」と言っていることである。つまり、この分野で普通の能力を持っている読者なら、『ニューヨーカー』誌の編集者セイラ・リッピンコットが引用句の塵払いと呼んでいたことを理解するだろう。ケネディ判事はこうした行為を「技術的虚偽」と呼んだ。

ここでわたしが興味深いと思うのは名誉棄損訴訟ではなく、ノンフィクションの執筆における一般的慣行について、最高裁の多数意見が当を得た指摘をしていることだ。ケネディ判事や彼と意見を同じくする同僚たちが、法律はうんざりだと言ってジャーナリスト養成校で働きたいと言ったら、終身地位を約束して迎え入れることにわたしは賛成するだろう。それに、『ニューヨーク・タイムズ』紙のリンダ・グリーンハウス記者の次のような指摘にも、わたしは賛成だ。グリーンハウスはこう言っている。「アントニー・M・ケネディ判事の意見を、出版社の代理人を務める多くの弁護士たちは安堵とともに広く受け入れた。記者たちがインタビュー相手の言ったことを記録しようとして直面する具体的問題に関して、最高裁判事たちは立派な見識を示したと評された……」

人の言葉を記事にする仕事は、ときに途方もなく難しい。一九九二年一月十日、アメリカ第四一代大統領ジョージ・ハーバート・ウォーカー・ブッシュはこう述べた。「わたしの考えでは、いくつか違いがあることに疑問の余地はありませんし、今後もあるでしょう。ここでわたしたちがいま話しているのは、重要な、重要な状況……つまり、わたしたちには重要な調和がある――経済的関係、安全保障の重要な問題などはみな、わたしたちが見失ってはならないことです」。筆記者が入れたコンマやダーシ記号も、たいして役に立たないことがある。「世界を見渡すと、もっとも突拍子のない、もっとも劇的な変化が価値観に立ち向かってくるのが見えます――自由、民主主義、行動の選択など、この国をもっとも偉大にしてきた価値観です――おわかりでしょう」（一九九〇年一月十二日）。「こんなにたくさんのカメラが聴いているときは、文章を前置詞で――いや、前置詞なしでも――終えてはいけないんでしょうな、全国に正式に報道されるんですから、ここにいる……の守護者の方たちによってね」（一九八九年三月二十九日）。「みなさん、ありがとう。個人的なことをちょっと言わせてください。記者会見での発言では何度も失敗していますが、みなさんが整理してくださるので感謝しています。ほんと、ああいった答えのなかには、そのままにしておきたくないものがありますから」（一九九〇年八月八日、記者会見）。

いやまったく、発言の意味は藪《ブッシュ》の中だ。

ケネディ判事に話を戻そう。「ある公人が話したことを記者がテープ録音したとしても、その言葉を一字一句たがわずに完全なかたちで記事にすることは、きわめてまれである」。というのも「話し手の、おそらくは要領を得ないコメントを編集し、理解しやすくするという実務上の必要性があるからである」。

引用の仕方によっては――わざと手を加える意図はなくても――文字どおりではあるものの正しくない情報を伝えてしまうことがある。一九七七年に出版した拙著には「アラスカは外国だ。そこではアメリカ人の居住が際立っている」という一文がある。二〇〇九年七月、『タイム』誌は、辞任を発表したアラスカ州知事セイラ・ペイリンを取り上げた記事でこの一文を引用した――「アラスカは外国だ」と。また、こんな場合はどうなるか考えてほしい。公共ラジオ放送がこう報道したとする。「共和党のダレル・アイサ下院議員は委員会指導部に求めています、情報源を明らかにするようにと」。もしこの一部を引用し、「情報源を明らかにするように」を省いたとしよう。文字どおりの引用であっても、意味は違ってくる。

ケネディ判事はまたこうも書いている。「一般的に言って、引用符は、それでくくられた部分が話者の言葉をそのまま再現したものであることを読者に示す。引用符は読者に向かって、あなたが読んでいる部分は話者の発言であって、言い換えなどの間接的解釈ではないですよ、と告げている。引用符がもたらすこうした情報は、発言の説得力を、執筆者の作品の信頼性を強めるのである」。さらに「引用符によって、読者は、記事の主題について書き手が言っていることに全面的に頼る代わりに、自分自身で結論を下し、書き手の結論を評価することができるようになる」。まさにそのとおり！　正しく使われた引用符は、複雑な状況のもとでの判断を、読む者の手に委ねるのである。書き手にとってこれは、一つの観点から長談義をするよりも、ずっと深みのある仕事ではないか。

間接話法は、逐語的引用を避けて、誰かが何を言ったかを再現する優れた方法である。間接話法は読みづらいことがない。たとえば、こんな言葉を引用する場合を考えよう。「夜が明けたらすぐ行くわ、わたし。覚悟はできてる」。書き手は、逐語引用するにはちょっと整理が必要だと考えるかもしれない。そんなときは引用符を取り去り（ついでに論理を整理しながら）、間接話法で書けばいい。

彼女は、覚悟はできているから夜が明けたらすぐにそこに行くと言った。

三、四カ所で取材した対話を集め、まったく別の場所で話された一つの対話としてまとめてはいけないだろうか。わたしは、いけないと思う。読者はどう考えられるだろうか。わたしは、取材先を再訪し、話したことの訂正をお願いしたり、ときにはもう少し詳述してくれと頼んだことがあるし、引用部分に手を入れ、肉づけしたこともある。だが、取材した場所を記事の中で変えたことはない。それは到底許されないことだろうか。わたしなら、そこまでは言わない。文体のリズムを整えるために、事実を変えるのは悪いことだろうか。そのとおりで、これはみんなが知っていることだ。それをしたら、当然、ノンフィクションを書いていることにはならない。

作家でジャーナリストのJ・アンソニー・ルーカスは代表作『共通の場（*Common Ground*）』の序文でこう書いている。「本書はノンフィクションである。描かれている人びとはみな実在する。……会話の部分は、少なくとも一人の参加者の記憶に基づいている」。おや？　少なくとも一人の参加者だって？　ボブ・ウッドワードは『司令官たち（*The Commanders*）』〔石山鈴子、染田屋茂訳、文藝春秋、一九九一年〕の「本書を読む前に」でこう言っている。「本書に登場する人物が何を考え、何を確信し、どんな結論に達していたかについては、当の本人や、その人物から直接そうした知識を入手した情報源を介して得たものである」（石山・染田屋訳）。このように、誠実さの主張は時を超えてとどろくわけだ。あるとき、電話口の話し声が耳に入ってきたことがある。話していたのは、主義主張を熱心に掲げるある大物ジャーナリストだった。電話の相手は編集者か校閲者だったのだろう。わかりやすくするためだろうと何だろうと、原稿にある一音節たりとも変えてはならぬと、件のご仁は電話に向かって主張していた。正確さという点で、あともうひと押しできるとすれば、今がそのときだったようだが、「あれは引用だからさ」と、このジャーナリストは大声を出し、そして繰り返した。「引用なんだよ、これは」。ところが実のところ、その引用元はロシア語からの翻訳だった。

作家ノーマン・マクリーンは代表作『マクリーンの川（*A River Runs Through It*）』〔渡辺利雄訳、集英社、一九九九年〕を小説と呼んだ。「小説」という言葉は、この本の前付けに記されている。ところが、この作品はある一点を除いて、ほとんどすべて自伝的事実を語っているのである。個人的理由から、兄が殺された場所を変えたマクリーンは、いかにも彼らしく、そうした変更は作り話だから、作品はノンフィクションとは呼べないと考えたのだった。

＊

付添係《マインダー》とは、背広を着てネクタイを締めた番犬であり、その同席がインタビューに応じる条件になることがある。企業や連邦政府機関はマインダーを配置することが多い。インタビューをするうえでマインダーの存在が触媒として働くかといえば、そんなことはない。マインダーは時々メモを取ることがあり、そうするとこちらは気が散る。質問に答えるマインダーさえいる。彼らの役割といえば、観察し、何が話されているかを監視するだけのはずではないか。マインダーのなかには「サダム・スタイル型」と呼ばれる人たちもいる。マインダーに関して、わたしは運に恵まれてきたが、それは一つには、この半世紀ずっとうまくマインダーを避け続けてきたからだろう。ただし、例外が二つあったが、どちらも嫌な思いはしていない。二〇〇四年、わたしは「ソート」の記事に取りかかった。「ソート」とはケンタッキー州ルイヴィルにある広大な多層迷路で、全体がロボットのように機能する。ここは、荷物輸送大手ユナイテッド・パーセル・サービス（UPS）が一日一〇〇万個の荷物を受け入れ、仕分けし、ふたたび送り出す施設である。建物を徒歩で一周するとおよそ八キロのハイキングをすることになるが、誰もそんなことはしたくないし、マインダーと一緒ならなおさらだ。茶色い尾翼の大型航空機が西の方へ飛び立っていくのが見える。そう、UPS航空のハブ、ルイヴィル国際空港のランウェイはすぐそこだ。マインダー抜きで、この辺りをわたしが一人で車を走らせるなどは、問題外だった。施設内を縦横に走るエンドレス・コンベアに載ってすいすい動く無数の荷物や、嗅ぎ回る麻薬探知犬たちの間を縫って歩き回るなんてことも、もちろん無理だ。実際、わたしはこの施設で二、三週間をマインダーとともに過ごし、そこで働く数十人にインタビューしたのだったが、マインダーはほぼいつも遠慮がちに控えていた。そのときのマインダーはトラヴィス・スポルディングという名の、ケンタッキー州ウエストポイント出身の人だった。オハイオ川沿いにある、フォートノックスに近い町である。わたしが誰かの荷物から金を盗み出すかもしれないなどと、彼が考えていないのは確かであった。週末は仕事もなかったから、わたしは彼と奥さんや両親と一緒にルイヴィルのチャーチル・ダウンズ競馬場によく通った。

もう一人、わたしにマインダーが付いたのは、一九九五年オマハでのことだ。連邦捜査局（FBI）物質解析課の人だった。主に地質学に関する仕事を担当する部署だ。わたしがインタビューしようとしていたロナルド・レイウォルト特別捜査官は、鉱物学と古生物学の専門家で、地質関連の諜報活動で目覚ましい業績を上げ、メキシコでアメリカ人麻薬取締官が殺された事件を解決に導いたという。レイウォルトはネブラスカ州ノースプラットに住み、仕事場もそこにあったから、インタビューするにはわたしがデンヴァーに飛び、そこからノースプラットまで車で行けばいいわけだった。ところが、である。レイウォルトは、自宅から約三〇〇キロも離れたオマハの連邦ビルの一室で、一月二十四日午前九時にわたしと会えと指示されたのだった。わたしがその部屋に入ったとき、マインダーがすでにいた。それから八、九時間はそこにいたが、インタビューの終わりまで残っていたわけではない。レイウォルトは岩石学、鉱物学、結晶学、石英の溶解度、砂粒の法医学的分析について滔々と話し続けた。わたしが今もって名前も知らないこのマインダーは、話が続く間ずっと寝ていたとは言えないまでも、とにかく物静かな人で、夜になると去っていった。レイウォルトの話はなおも続き、インタビューが始まってから一二時間経っても、まだ終わらなかった。

その間ずっとわたしは彼の話をテープに録音していたが、家に帰って文字起こしをすると、テープの一本は音が拾えていなかった。わたしは大慌てでレイウォルトに電話した。すると故障テープの直前のテープの最後と、次のテープの最初になんと録音されているかを教えてくれれば、その間の話を繰り返せるという。結局、レイウォルトはノースプラットの家のキッチンテーブルに自分のマシンを置き、録音しそこなった部分をもう一度吹き込んで、そのテープを郵送してくれた。わたしの記事にとっては、不可欠の部分だった。しかも、郵送料はレイウォルトが持ち、わたしは払っていない。

その五年後、ある霧深い朝のことだ。プリンストン大学のわたしの研究室に電話がかかってきた。人文学評議会からで、FBI捜査官がわたしを訪ねてきたが、また出て行ったという。捜査官の名前はレイウォルトで、いまは霧の中でわたしを待っているようだ。大急ぎで階段を何段も駆け下り、外に出ると、レイウォルトがいた。「この近辺」で、ある知能犯罪の捜査をしているという。「この近辺」とは、彼にとってはGPS座標と同じようなものなのだろう、それ以上詳しいことは絶対に言わない。任務にはヘリコプターが必要だったが、霧のため飛べなくなった。そこで、わたしにちょっと会って挨拶をしたいと思ったのだという。

さらにその五年後のことだ。わたしはもうひと息で仕上がるはずの本のことで、いらいらの極みに達していた。その本の最後に、ユニオン・パシフィック鉄道の石炭列車の旅を入れるつもりで、すでに何カ月も前から準備交渉をし、鉄道会社からも色よい返事をもらっていた。ところが、今になって連絡不能になったのだ。あのジャッキー・グリーソンとそっくりだ。わたしは一日に何回も――何日も、何日も続けて――電話を入れたが、本社のあるオマハから折り返しの電話はかかってこなかった。だが、当初はあちらも積極的に各所に案内してくれたのだ。アイオワ州カウンシル・ブラッフスにある車両基地も見せてくれたし、「掩体壕《バンカー》」と呼ばれるオマハの難攻不落の建物の中で、運行管理者たちが全三万キロに及ぶユニオン・パシフィック鉄道で起きるすべてのことを管理する様子も見学することができた。それなのに、数カ月後の今は家からオマハに電話をかけても機械音しか聞こえず、メッセージを残すだけだ。執筆は行き詰まり、わたしはお手上げ状態だった。そこで、ぱっと思いついた。ロン・レイウォルトに相談してみよう。手を貸してくれるかもしれない。ノースプラットには世界一の車両基地があるじゃないか。電話に出たレイウォルトは「デンヴァーまで飛んでこいよ、そこからノースプラットまでは車だ」と言った。それから一日半後、わたしは全米運輸労働組合の地区幹部、機関士および列車乗務員組合の地区会長、そしてレイウォルトと朝食を囲んでいた。その翌朝、わたしはユニオン・パシフィック鉄道のトリプルトラック・メイン線でカンザスへ向かった。全長が二・二八キロという石炭運搬列車の運転室に乗せてもらったのだ。

＊

一九六〇年代初めにわたしがかかわった『タイム』誌の特集記事《カバーストリー》は、たいていの場合、ほかの人がほとんどすべてを取材し、執筆をわたしが担当した。グループ・ジャーナリズムと呼ばれるこの全世界的な方式を始めたのは、人格形成期を中国煙台市のミッションスクールで過ごしたヘンリー・ルースだった。今日ならクラウド・ジャーナリズムと呼ばれるだろうが、ルースが考案したのは一種のユートピア的共同体である。国内外の各支局からファイルと呼ばれる報告が、ニューヨークにいるライターや編集者に送られてくるのだった。「言葉の職人になる」つもりだったわたしは、長編であれ短編であれ、自分が担当する記事は自分の言葉で埋めたかった。だから、（巻末に名前が載る仲間のライターたちと同様に）取材記者の報告を参考にしたし、ときには引用もしたにしろ、他人の報告のあちらとこちらをつなぎ合わせるなんてことはしなかった。どれも署名記事ではなかったが。
わたしは、ソフィア・ローレンが表紙を飾った号の特集記事を書いた。

彼女は大足だ。鼻が長すぎる。歯並びが悪い。それに首はといえば、何しろライバルの一人から「ナポリから来たキリン」と呼ばれたほどだ。ウエストは大腿部の途中から始まっているようだし、ヒップは巨大。フルバックのように走る。手は実に大きい。額は低く、口が大きすぎる。それなのに、ああ、なんてこった《マンマ・ミーア》、彼女はまったくすばらしい。

ところが、彼女はイタリアにいて、ミッションスクール仕込みのジャーナリズムを実践していたわたしはニューヨークにいたのである。わたしはソフィア・ローレンに一度も会ったことがない（会っていれば覚えているはずだ）。ジョーン・バエズにもモート・サルにも会ったことはない。ジーン・カーが表紙に載った号では、カーの取材をたくさんしたし、アッパー・ウエストサイドに住んでいたバーブラ・ストライサンドの取材に当たったこともある。毎週、芸能欄を短いレポートやニュースで埋めるには、記事を実際にすべて書くだけでなく、かなりの取材をすることにもなった。これは国際情勢や国内ニュースといった欄を書いていたら、到底得られそうもない貴重な経験になった。わたしはまた、グリーソンの記事のほかに、異例ではあったが一九六三年のリチャード・バートン特集号を出すときも、主な記事の取材と執筆を、ほぼ一〇〇パーセント担当した。

わたしは、トロントでバートンの『キャメロット』の公演を見て以来、バートンを表紙に取り上げてはどうかと、もう二年近くも折に触れてオットー・フュルブリンガー編集局長に提案していた。そもそもあのときトロントへ行ったのは、作詞家アラン・ジェイ・ラーナーと作曲家フレデリック・ロウについて記事を書くためだった（『キャメロット』の作詞、作曲をしたこの二人は、以前にも『マイ・フェア・レディ』でコラボしている）。トロントでわたしは、取材目的ではなかったバートンと気軽に、正式に紹介をされることもなく、知り合いになったのだった。バートンは、役者というものが到達しうるまさに最高の役者だと、わたしは感じ入り、以前イギリスで勉強していたとき、オールド・

ヴィック劇場で初めてバートンのハムレットを観たことを思い出した。あのときは、二回観に行った。やがて、わたしはこんな文を書くことになる。

公演初日を前にバートンが恐怖で固まってしまうのは、昔も今も変わらない。まったく眠れなくなる。一九五三年のある夜、ハムステッド地区の自宅を出たバートンは、朝の四時ごろウォータールー橋を渡っていた。橋の向こうにオールド・ヴィック劇場がある。家から一六キロも歩いたわけだ。橋で巡査に呼び止められた。何をしているのかと訊かれる。自分は恐怖にかられた一介の役者だと、バートンは答える。明日が初日で、オールド・ヴィックでデンマークの王子ハムレットを演じるのだと。「ああ、そうなんですか」と巡査は言う。「でもね、ペッカム・ライでは誰もそのこと知らないでしょう？　セント・ジョンズ・ウッドでも、そうですよ」。これを聞いてバートンは少し落ち着きを取り戻し、その夜は巡査と一緒にウォータールー地域を巡回して歩いた。

『キャメロット』の劇団員が泊まっていたホテルで、バートンは夕食が終わるとほかの役者や仲間や舞台係や、その他大勢を引き連れて自室に引き上げるのだった。おしゃべりは朝の三時まで続いた。その他大勢の一人のわたしは、もう夢中になってしまった。そこで、ニューヨークに戻ってからバートン特集の企画を提案したのだが、そのたびに却下されてしまう。ようやく承認されたのは、バートンがエリザベス・テイラーと一緒にロンドンのドーチェスター・ホテルにチェックインしてからだった。バートンは世界でもっとも有名な二人の人物の一人となったのだ。フュルブリンガーはわたしを編集局長室に呼んで、『タイム』誌が久しく求めていたのは、リチャード・バートンの特集記事ではないかねと言った。そのとおりです、とわたしは答え、バートンを俳優として描き出す機会が与えられればうれしいです、と付け加えた。わたしからではなく、社からの正式の要請を受けたバートンは、わたしが取材し、記事を書くなら協力すると言ってくれた。

バートンとのインタビューは大部分が、ロールス・ロイス・シルバークラウドの車中で行われた。毎朝、この車はパークレーン五三番地に停まり、それぞれ配偶者がいるバートンとテイラーが最上階の続き部屋から出て、仕事に向かうのを待つのだった。二人は目下、『予期せぬ出来事』という映画を作っていたが、ヒースローに近い撮影スタジオに行くには片道一時間ほどかかった。アンソニー・アスキス監督は、第一次世界大戦中にイギリス首相を務めたハーバート・ヘンリー・アスキスの息子で、撮影を夜明けに始めるのが好きだったから、ロールス・ロイスがホテルを朝の五時に出発するのも珍しくはなく、六時を過ぎることはなかった。わたしはすぐ近く、パークレーン八三番地のグロヴナーハウスに泊まっていたが、テイラーとバートンがホテルから出てくるのを車の中で待つことにした。そんな取材が一週間以上も続いた。

彼女が眠そうだったことは一度もない。バートンについては、はっきりとは言えないが、ハムステッドの自宅で妻のシビルと朝の三時か四時まで話し込んだことが、少なくも一度はあった。それからドーチェスター・ホテルに戻ってもシルバークラウドに乗り込むまでには、ほんの一、二杯ひっかける時間があるかないかのぎりぎりの時間だった。このことを、それからほかにもたくさんのことを、わたしはシビルから電話で聞いた。わたしと一緒にいた間に、彼はコニャックを一本空けてしまったわ、とシビルは言っていた。レミーマルタンだそうだが、サイズは訊いていない。血中アルコール度がどうであれ、俳優バートンは監督の指示を見落としたことがない。自分でもそう言っていたし、周囲の人たちからもそう評されていた。それは本当のことだと、あのころのわたしは毎朝五時に納得させられたのだった。

バートンは、スタジオに足を踏み入れた瞬間から演技に入ることができた。出演シーンの撮影がないときはたいていほかの役者や仲間や舞台係や、その他大勢とおしゃべりをした。誰とでも親しくなった。サッカーのことになると際限なく話し続けたが、それよりもわたしが感心したのは聞き上手だったことだ。マンチェスター・ユナイテッドやトッテナム・ホットスパーについて、相手から話を引き出し、関心を示して耳を傾け、時折コメントを入れるのだった。わたしはニュージャージーにいる子どもたちのことを訊かれた――お嬢さんが三人とは、すばらしい！　わたしのところはたった二人ですよ。

スタジオには、まだ二十代のマギー・スミスもいた。髪はとび色、大きな目をした鋭い顔立ちの若き美女だ。ボスをひそかに愛するおとなしい秘書役という端役を演じていた。マギー・スミスは、出番がないときは座って本を読んでいた。周囲のくだらない騒動には関心を示さない。彼女のことは覚えておくといいよ、とバートンは言った――この建物の中にいる誰よりも才能がある。彼女と一緒のシーンを撮ると、自分は影が薄い、彼女には到底かなわないと感じるんだ、と。目下撮影中のこの映画は、劇作家テレンス・ラティガンの脚本で、ヒースロー空港が舞台だ。裕福な人妻が恋人と駆け落ちしようとするが、ヒースロー空港が霧に包まれ、飛行機の離陸が遅れるうちに、夫が説得に現れる。それぞれの事情を抱えたほかの登場人物たちも、同じような不都合を被る。ラティガンによると、物語の萌芽になったのは、ヴィヴィアン・リーに実際に起きた出来事だったという（リー主演のあの名画のあの名台詞《ぜりふ》のとおり、「正直なところ、どうでもいいこと」なんだが）。ローレンス・オリヴィエと結婚していたリーはある俳優と恋に落ち、駆け落ちしようとしたが、霧のためヒースロー空港で動きがとれなくなったのだった。

インタビューのしやすさからいえば、バートンはウッディ・アレンの上をいっていた。何しろ、自分で自分をインタビューしたのだ。わたしはただ、そばにいて耳に入ったことを書きとめるだけでよかった。スタジオでの取材は、たいていエリザベス・テイラーの楽屋で行われた。かなり広い部屋で、ソファとコーヒーテーブルが置かれ、歩き回るスペースもあった。テイラーは、わたしがバートンにばかり集中しているのが気に入らないといった様子も見せたが、わたしの仕事を理解していたし、本気で気を悪くしたわけではない。それでも、しょっちゅう口を挟んだ。面白がっていたのだ。もちろん、わたしも楽しかった。何年も芸能記事を書いてきたおかげで、わたしには知り合いの女優が数知れぬほどいるが、うぬぼれの強さからするとテイラーは彼女たちに到底及ばなかった。好奇心が強く、あか抜けていて、気取らず、わたしと知り合いの大学関係者と比べても、特段に教養豊かに見えた。少女時代からずっと、ＭＧＭのカフェテリアで特別教育を受けていたからだ。

ある日、テイラーはわたしのインタビューを遮り、イギリス人のジャーナリストが二人、もうすぐ来ることになっていると言った。テイラーとバートンが、二人そろって取材を受けるという。「もしよろしかったら、このままここにいて、聞いていらしたら？　でも、インタビューは一時中断することになりますわ」。「もちろんですとも」と、わたし。面白い経験になりそうだった。イギリス人記者は二人とも男性で、背が高く、記憶にある限りでは奇妙に自信なさげであった。ソファに二人並んで座り、くだけた質問をし、時々くだけたコメントを加える。録音もしなければ、メモも取らなかった。テイラーは二人にお茶を振る舞った。記者たちはティーカップをずっと膝の上に乗せたままだ。何も書いていないから、そんなことができたのだ。翌朝、世界を騒がせていたスキャンダルの最新版ニュースが、取材に来た記者たちの新聞の一面を飾った。記事は引用句で溢れていた。長い引用、短い引用、きわめて煽情的《ハイポセンセーショナル》なものなどいろいろだ。だが、この記者たちはトルーマン・カポーティのような記憶術を持ち合わせてはいなかったようだ。いずれにせよ、バートンであれ、テイラーであれ、記事の中の引用符にくくられた言葉を口にしたのを、わたしは聞いていなかった。これはタブロイド紙『ニュース・オブ・ザ・ワールド』がルパート・マードックに買収される七年前のことである。

　イギリス人新聞記者が立ち去り、わたしが中断していたインタビューにふたたび取りかかると、バートンは一九五三年当時のオールド・ヴィック劇場で起きた話に戻った。

　バートンの演技がセント・ジョンズ・ウッドをはるかに超えて評判になったのは、『ハムレット』の公演期間も半ばを過ぎてから下されたある批評によるところが大きかった。バートンの演技はまるで闘牛のように、ある日はすばらしく、次の日は期待外れだった。だが、声の調子がよく、ウェールズ人特有の声音が出ると、シェイクスピア劇の名優ギールグッド演じるハムレットの震え声をずっと聞かされてきた聴衆は大喜びした。公演を六〇回ほどこなし、チケット売り場も暇になりかけたある夜、劇場支配人がバートンの楽屋にやってきた。「今夜はとくに頑張ってくださいよ。大物が観に来てますから」

「大物って？」

「一年に一度しか来ないんですよ」と劇場支配人。「一幕だけ見て、帰っていくんです」

「いったい、誰のことですか?」

「チャーチルですよ」

舞台に上がったバートンが、台詞の一行目——ただの親戚でもないが、肉親あつかいはまっぴらだ(福田恆存訳)——を口にすると、最前列から同じ台詞をつぶやく声が聞こえてくるではないか。チャーチルは、一行、また一行と、バートンの後について、猟犬のようにどこまでも忠実に台詞を口にするのだった。何かが省略されると、表情はにわかにかき曇った。「振り切ろうとして……」とバートンは語る。「早口で言ったり、わざとゆっくり言ったりしたんですが、あの人はずっと後についてきました」。実際、その夜、チャーチルはバートンが一八回目のカーテンコールを受けるまで劇場にとどまり、ある記者にこう言った。「わたしが思い出せる『ハムレット』のなかでもっとも刺激的で力強い公演だった」。何年も後のことだが、テレビ・ドキュメンタリー『ウィンストン・チャーチル——果敢な歳月(*Winston Churchill – The Valliant Years*)』の製作準備を進めていたプロデューサーが、サー・ウィンストンにチャーチルの声優に誰を起用しようかと相談したという。「オールド・ヴィックのあの子にやらせろ」と御大は言った。

そこで「オールド・ヴィックのあの子」が起用された。

言及の枠組み

プリンストン大学のわたしの執筆講座に、エイブ・クリスタルという名のサウスカロライナ州コロンビア出身の学部生が入ってきたのは二〇〇〇年のことだ。クリスタルは課題の一つとして、グレンジャー・デイヴィッドという仲間の学生の紹介記事を書くことになった。このグレンジャーは、かつてF・スコット・フィッツジェラルドも会員だった学生社交クラブ「コッテージ」の会長を務めていて、フィッツジェラルドがこのクラブで書いたデビュー作『楽園のこちら側（*This Side of Paradise*）』〔朝比奈武訳、花泉社、二〇一六年〕の主人公エイモリー・ブレインをはじめ、フィッツジェラルドの小説のどんな登場人物にも負けないくらい、口が立ち、冷静な男だった。そのグレンジャー・デイヴィッドの紹介記事でエイブ・クリスタルは「彼にはスプレッツァトゥーラ（sprezzatura）がある」とさらりと言っていた。

スプレッツァトゥーラ？　もちろん、今のこの便利な世の中では地球上の誰もがこの言葉の意味を知っている。だが、二〇〇〇年当時のわたしは知らなかった。イタリア語の辞書を調べたが、出ていない。もう一冊、別の辞書も見た。ここにもない。次に『ウェブスター新国際辞典第二版』の完全版に当たってみたが、手がかりなし。そこでわたしは娘のマーサに電話した。マーサはイタリアに住んだことがあり、教皇ヨハネ・パウロ二世の『希望の扉を開く』をバチカンによるイタリア語訳から英訳した共同翻訳者の一人であった。

そんな立派な経歴にもかかわらず、マーサは役に立たなかった。

そこでわたしは、もう一人の娘のセイラに訊いてみた。セイラはエモリー大学で美術と建築史の教授をしていて、専門はローマのバロック美術だ。セイラの留守電もマーサと同じく、まったく役に立たなかった。

その夜、わたしはたまたまニューヨーク公共図書館のレセプションに行くことになっていた。娘のジェニーと一緒だ。ジェニーも教皇の本の英訳にかかわった一人で、夫のルカ・パサレヴァはフィレンツェで生まれ育ち、その地で学校にも通っていた。「やあ、ルカ。ちょっと教えてくれないか、『スプレッツァトゥーラ』ってどういう意味？」

ルカ「さあ、わかりませんね。ジェニーに訊いたら？」

ジェニー「知らないわ。でも、あそこにいるあのご夫婦なら、わかるかもしれない。イタリア領事館の人よ」

領事「妻に訊いてみましょう。彼女、文学に詳しいから。わたしはさっぱりだめなんです」

夫人「あら、ごめんなさい。見当もつきませんわ」

翌日、プリンストンに戻ったわたしは、予定どおりエイブ・クリスタルとの面談に臨んだ。エイブの書いたグレンジャー・デイヴィッドの紹介記事は目の前のデスクの上にある。わたしは人さし指で「スプレッツァトゥーラ」の文字に触れながら訊いた。「この言葉、いったいこれはどういう意味？」

エイブは、ルネサンス期イタリアの作家で外交官だったバルダッサーレ・カスティリオーネの著作『宮廷人』でこの言葉を見つけたという。「巧みな優雅さとか、ゆったりしていること、労苦の跡を見せずに見事に成し遂げることとか、そういう意味です」

エイブが去ってから、わたしはもう一度セイラに電話した。今度はセイラ自身が電話を取った。セイラは、エイブの定義は正しいが、そこに「涼しい顔《ノンシャランス》」という一語を付け加えるべきだと言った。さらにセイラが言うには、「スプレッツァトゥーラ」の概念はラファエロによって絵画の世界に持ち込まれたそうだ。「ラファエロは友だちのバルダッサーレ・カスティリオーネを理想的な宮廷人、つまりスプレッツァトゥーラの化身として描いたのよ。この作品はいまルーブル美術館にあるわ」

＊

『ニューヨーカー』誌の編集者で、一六年間わたしの本の編集を担当してくれたロバート・ビンガムの口髭は、ただ立派なだけでなく、光を放っていた。わたしは以前に何かの記事で、ある人が「真心溢れる口髭」を生やしていると書いた。これを読んだビンガムは原稿を引っさげ、廊下を渡ってわたしの小部屋にやってきた。目論見どおりだ。真心溢れる口髭って、マクフィーさん、これどういう意味ですか。そうすると、不誠実な口髭もありうるとおっしゃりたい？

わたしは、これ以上明白な表現は考えられないので、と答えた。

この口髭はそのまま雑誌に載り、わたしは『ニューヨーカー』誌の口髭専門ノンフィクション・ライターになった気分だった。その後、わたしはさまざまな口髭について書いてきた。「真面目そのもののような口髭」を生やした人もいたし、五大湖を航行する船の船長は「ジャイロスコープのような口髭」をたくわえていた。ノースウッドのある住民は「いかにも木材評価官らしい実直な口髭」を、メイン州のある家庭医は「鎮痛効果のある口髭」を、別の医師は「癒し系の口髭」を生やしていた。また「口の両脇の下まで垂れ下がっている点でいかにも医者らしいが、良くも悪くも予後については何も語らない口髭」をたくわえていた医者もいた。

ごくごくたまに、楽しみながら書いたっていいいんじゃないか。

ダッジは、頭髪よりも口髭のほうが濃かった。セイウチを思わせる立派な口髭だ。牙こそないものの……ダッジの口から出る言葉は、ギネスブック級のこの偉大な口髭でそっと濾過《ろか》される。唇の上にでんと陣取ったこの髭は、実に見ものである。

こんなふうに書いていたわたしが、やがてアンドリュー・ローソンにたどり着いたのは必然だった。そう、アンドリュー・ローソン、スコットランドに生まれ、カリフォルニア大学バークレー校で教鞭を執った偉大な構造地質学者である。カリフォルニア州南部から西部にかけて走る巨大な断層を、おそらくは自分の名をとってサンアンドレアス断層と命名した。ゴールデンゲート・ブリッジの建設にあたっては、サンフランシスコ湾の水中深くにある潜函《ケーソン》へ、バケットに乗って下りていき、南側橋脚を建てる位置がそのままでいいことを確認したという。

堂々たる体軀で髪は純白、神を表す神聖四文字《テトラグラマトニック》のような口髭をたくわえたローソンは、至高なる者を体現していた。

『ニューヨーカー』誌の編集部に読者からの問い合わせが、まるで潜函《ケーソン》の外壁に押し寄せる海水のような勢いで流れ込んだ。当時、若い編集者であった作家のチャールズ・マグラスが、いやな顔もせずにせっせと返事を書いてくれたが、これには感謝してもしきれない。

＊

「テトラグラマトニック」だの、ルネサンス期イタリアで生まれ、その後使われなくなった言葉だのは、読者を啓発するどころか共通理解を超えた表現で、一部の人をいら立たせることになろう。いや、いら立つのは一部どころか、大方の読者だろう。悪いのは執筆者である。申し訳ないことだ。しかし、これを別の視点から見れば、わたしたちは今、文を書くにあたっての最重要問題にぶち当たったと言えるだろう。言及の枠組みの問題である。執筆の過程で、文の内容をわかりやすくするためにある事物や人物に言及する場合、書き手はどんな事物や人物を選ぶべきだろうか。ビヨンセと聞けば、誰でもわかるだろう。ヴェロニカ・レイクと聞けば、読者はカナダとの国境地帯に広がる原野に放り出された気分になるかもしれない。こうして考えていくと、さらに問うべきことが出てくる。その文が書かれたのはいつか。二〇一〇年代であれば、書き手はニューヨークに言及しても、読者はそれが何でどこにあるかを知っていると期待していいだろう。ところが、ヴァーナル・コーナーズとなると、どうだろうか。ニューヨーク州北部にある町のことだ。同じくスカースデールはどうか。どこにある町かの説明を入れるべきか。ステップバンやスタンレー・スティーマー（蒸気自動車）、あるいはブラック・アンド・ホワイト・ユニット（パトカー）やグースネック・トレーラー（車やトラックに連結するトレーラーの一種）はどうか。あるとき学生たちを前に、グースネック・トレーラーが何か知っている人は挙手を、と言った。

三二人中、一人が手を挙げた。

「ステーシー君、出身は？」

「アイダホです」

言及の枠組みがもつ複合的な特質を理解するには、そうした枠組みの付随的な影響に目を向けるといいだろう。時代を超えて生き残り、歴史の中にはっきりした層を作り上げてきた古い枠組みについて考えてみよう。ケンブリッジ大学で英文学を学ぶ学生は、散文や詩の例文をいくつか読み、それぞれがどの世紀のどの年代に書かれたものかを判定するよう指導教授から求められるそうだ。年代測定と呼ばれるこの課題をこなすのは、想像するほど難しくはない。地質年代学と比べてみるとわかりやすいだろう。これについては、以前にこんな文を書いたことがある。

想像してみてほしい。E・L・ドクトロウの小説に、イギリスの詩人アルフレッド・テニソンと十九世紀ニューヨークのボス政治家ウィリアム・トウィード、それに北軍の名将アブナー・ダブルデイと西部探検家ジム・ブリッジャー、そして女性開拓者マーサ・ジェーン・カナリーがそろってディナーテーブルを囲み、ラザフォード・ヘイズ大統領が用意した料理に舌鼓を打つ場面があるとしよう。地質学者なら、そんな集まりを化石群と呼ぶ。そして、地質学者に限らず誰であれ、ドクトロウから教えてもらわなくても、この夕食会は一八七〇年代の中頃のことだったとすぐに判断するだろう。というのも、一八七〇年代の初めにカナリーは十八歳であり、七八年にはトウィードがいなくなっていたからだ。その他の人物の伝記作者たちも、この推定に異を唱えないはずだ。

化石はそれぞれの時代の同位体だ――十九世紀の科学はそんなふうに語る物語を発展させた。わたしがこうしてあれこれ語っているのはただ、言及の枠組みというものがどのように機能するかを明らかにし、一時は通用しても、すぐに廃れていくその進化の速さを示すためだ。若い作家たちに、これだけは言いたい。あらゆる時代に受け入れられる名作を書こうなどと、意識していけない。まったく最低だ、そんな意識は。やってみようとも思わないことだ。わたしたち作家が願うべきはただ一つ、自分が書いた文が編集者に見てもらう前に廃れないように、ということだ。いくらか耐久性のあるほのめかしやイメージを探して選び出せば、文はそれなりに安定するだろう。自分が観たことのある映画を、世界中のすべての人も観たと思い込んではならない。何かを引き合いに出して説明するときのまずい例は、たいていはそんな思い込みに基づいている。「これは『脱出』の一シーンを思い出させる」、「あれは『終身犯』のラストに似ている」などなど。

『ニューヨーク・レビュー・オブ・ブックス』誌のライター、セイラ・ボクサーは、ヘッダ・スターンとソウル・スタインバーグという二人のアーティストを取り上げた二〇一〇年の記事で、にぎやかな一団に言及している。二人は「『ニューヨーカー』誌の面々と知り合いだった。彼ら作家や漫画家や映画人たち――チャーリー・アダムズ、コービン、ウィリアム・スタイグ、ピーター・アルノ、イアン・フレイザー、ドワイト・マクドナルド、ハロルド・ローゼンバーグ、E・B・ホワイト、キャサリン・ホワイト――は、みんな夕食をともにする仲間だった」と。これこそ化石群と言えるだろう。ただし、ここには場違いな微生物が入り込んでいる。そんな夕食会が開かれた時期に、イアン・フレイザーはオハイオ州ハドソンにいたし、九歳にもなっていなかったはずだ。

言及の枠組みは、夜間に空港に向けて降下するときに航空機が点滅させる灯りの並びのようなものだ。灯りは目に見える。しかし、灯りの並びは、目に見えない骨組みを示している。この――着陸灯の並びという――枠組みの中に巨大な航空機が収まっていて、今まさにフラップを下ろし、滑走路をめざしているのだ。

*

借りてきた灯りを使っても、滑らかな着地は望めない。もし、「あの人はトム・クルーズに似ている」という文を書き、それ以上何も説明しないなら、書き手はトム・クルーズに書いてもらっていることになる。読者がトム・クルーズとは誰なのかを知らなければ、人物描写は成り立たない。

では、トム・リプレーはどうだろう?

以下は、二〇一〇年に『ニューヨーク・タイムズ』紙が掲載したドワイト・ガーナーによる記事の一部である。「カステッリは理解しがたい男だ。友人は山ほどいるが、本当に親しい人はいない。とらえどころのない人物で、姿を自在に変える。トム・リプレーみたいだとも言える」

ほかにもいくつか例を挙げよう。いずれもそれほど古い記事ではない。

二〇〇五年の『ニューヨーク・タイムズ・ブックレビュー』で、ジョン・レナードはライブラリー・オブ・アメリカが刊行したジェイムズ・エイジーの作品集を評してこう書いた。「結婚とは何かを、誰が知っているだろうか。死につながる椅子取りゲームかもしれない。つまるところ、女を追い回す男たちのごたごたと、芸術創作の苦しみをめぐるきれいごとを一緒くたにしては、大人の味を楽しめるわけがない。かくして読者が味わうのは、せいぜいノックスヴィルに住む青年ルーファスといったところだ」

ジャネット・マスリンは二〇〇八年、『ニューヨーク・タイムズ』でロバート・ルルーの『ある美少年の思い出（*Memoirs of a Beautiful Boy*）』をこう評した。「問題はいろいろあるが——なかでも最大の問題はオーガステン・バロウズの後追いじゃないかと評される危険だ——それでも作者はとんでもなくおかしな成長物語の中心に彼女〔母親〕を据えることに成功している」

モーリーン・ダウドは二〇〇八年、『ニューヨーク・タイムズ』に、ウィリアム・ジェファーソン・クリントン元大統領についてこう書いた。「ビルは未だに月に向かって吠え続けている。……リア王を人気司会者のライアン・シークレストのように見せようとしているんだろうか」

ジョエル・アカンバークは力作『人はなぜ異星人《エイリアン》を追い求めるのか（*Captured by Aliens*）』（一九九九年）〔皆神竜太郎監修、村上和久訳、太田出版、二〇〇三年〕でこう書いている。「宇宙にはエイブ・ヴィゴダのように見える星雲がある」

ジョエルは学部四年生のとき、一九八二年のことだが、わたしの執筆教室の学生だった。さらに見ていくと、同じ本の中でジョエルはタフト大学のある教授を「ジーン・ワイルダーにちょっと似ていて、同じ熱狂的なエネルギーをいくぶんか持ち合わせている」と描写している。ジーン・ワイルダー？　さあて、誰だろう。ただ、これだけは言いたい。「同じ熱狂的なエネルギー」という表現によって、ジョエルは借りてきた灯りをおおかた返却したというものだ。

ジョエルの四年前に教室にいたロバート・ライトのことを話そう。彼は作家になり、ほかの人が取り上げる勇気のないテーマに取り組んできた。たとえば、五七六ページに及ぶ『神の進化（*The Evolution of God*）』（二〇〇九年）がある。デビュー作（一九八八年）『三人の「科学者」と「神」（*Three Scientists and Their Gods*）』〔野村美紀子訳、どうぶつ社、一九九〇年〕の第一九章はこんなふうに始まる。「ケネス・ボウルディングがクエーカー教徒だからといって、なにもクエーカー・オートミールの紙箱に描かれている人物そっくりだとはかぎらない」

ライトはこうしたほのめかしの行方を気にする様子も見せず、こう続けていく。

> ところが実際に会ってみると、似たところがあった。どちらも髪は雪白《せっぱく》で肩に届くほど長く、眼は青く、血色がよい。どちらも基本的に陽気なたちで、一方はよく笑い、もう一方はもちろんいつも笑っている。たしかに違うところもある。ボウルディングの髪はオートミールのクエーカー教徒のように柔らかくなく、ただ下に垂れるのではなくて耳を出して後にとかしつけられている。ボウルディングの顔は温和ではなく、あるタイプを表わしているというのでもない。鼻は尖がり、眼は落ちくぼんで深い知恵を示している。
>
> （野村美紀子訳）

借りてきた灯りをこれほど十分に返し尽くした例をわたしは知らない。

トレヴァー・コーソンは『魚の禅（*The Zen of Fish*）』（二〇〇七年）でこう語る。「サケはにおいを頼りに生まれた場所に戻っていく。……川をさかのぼるにつれてサケの体の構造は驚くべき変化を遂げる。その変貌ぶりは『超人ハルク』に変わるドクター・デイヴィッド・バナーも顔負けだろう」

二〇〇五年、『ニューヨーク・タイムズ・ブックレビュー』の評者で作家のブルース・ハンディはジョナサン・ハー著『消えたカラヴァッジョ（*The Lost Painting*）』（田中靖訳、岩波書店、二〇〇七年）についてこう書いた。「今日のわたしたちは、カラヴァッジョのモデルたちの汚れた足に気を取られて、その様式美を見逃してしまうことはない――わたしたちはナン・ゴールディンのサブカルチャー作品に慣れっこになっている。これはカラヴァッジョの作品の中でももっとも奥深い宗教画だ――ハリウッド用語でいう『タイト・ミディアム・ショット』でフレームいっぱいに被写体を描き、計算しつくした緊迫感が枠いっぱいに広がる。マイケル・ベイ監督が絶賛すること間違いなし。ただし、もしこの画を見ていたら、ということだが」

二〇〇二年『ニューヨーク・タイムズ・マガジン』に掲載されたマイケル・ポーランの記事を見てみよう。「牛が処理場へと力ずくで引かれていく場を目にしたとき、これは『デッドマン・ウォーキング』のショーン・ペンとは違うんだと、自分に言い聞かせなくてはならなかった。牛の頭の中に、非存在の概念は存在しないのだ、と」

マーク・シンガーは『アメリカのどこかで（*Somewhere in America*）』（二〇〇四年）で、こんなふうに、借りた灯りに利子をたくさん付けて返している。これで借りはゼロになった。「キーズは、政治家が醸し出すオーラや政治家らしい外見とは無縁だ。いま六十歳、ピンク肌の顔にはそばかすがあり、赤毛の髪はそろそろ真っ白になるところだ。垂れた口髭、メタルフレームの眼鏡、格子縞のシャツ、それにブルージーンズとそろえば、全体像は痩せたウィルフォード・ブリムリーだといってもいいだろう」
ウィルフォード・ブリムリーが誰か知らなくても、キーズの容貌は十分わかるだろう。

イアン・フレイザーは二〇一四年の『ニューヨーカー』誌の記事で借りた物を返そうとしているが、うまくいったとは言えない。「彼女はコンガ・ドラムを叩き、ろくろを回すだけでなく、二つ目の修士号をめざしている。海洋生物に的を絞った研究で実験心理学の学位を取ろうというのだ。言わずにはいられないのは、その姿が一九七〇年代の連続ホームコメディ『モード』のスター、ベア・アーサーとあまりにも似ていることだ」

＊

言及の枠組みは、受けをねらう作家や放送人たちにひどく誤用されている。二〇三〇年代を目前にした今日、フォックス・ニュースは「ビートルズというバンドと、もう一つ別のローリング・ストーンズというバンドが……」などと遠慮がちに語るのだ。まさに二十一世紀風の表現である。長年「ワシントンン・ポスト』の編集主幹を務めたベン・ブラドリーの生涯が公共ラジオ局（NPR）の番組で紹介され、こんなナレーションが流れた。「ジョージタウンでブラドリーが親しくなった隣人は、ジョン・F・ケネディという名の若い上院議員でした」。ショックではないか。骨の髄まで響く衝撃ではないか、ズシーンと。

コラムニストのフランク・ブルーニーは二〇一四年、『ニューヨーク・タイムズ』紙にこう書いた。「もし……よほど年寄りの気分になりたかったら、大学で教えればいい。そう、わたしが今やっているように。授業中に言及すると、学生たちはきょとんとし、この先生、古生代から降り立ってきたんじゃないかといった顔つきで見つめ返す――そんな目に遭わない日はないといっていい。……一度、ヴァネッサ・レッドグレイヴの話を持ち出した。学生はぽかんとしている。グレタ・ガルボを持ち出しても反応は同じ。授業で、ある評論を題材にしたときのことだ。筆者は繰り返しプルーストの名作とそこに出てくるマドレーヌに言及しているが、ほとんどの学生は、このマドレーヌが何を象徴しているか、ついでに言えばプルーストという男が誰なのか知らないということに、ディスカッションが始まってすぐに気づかされた」

　偶然だが、フランク・ブルーニーとわたしは同じ時期にプリンストンで同じプログラムを教えていた。同じ学期に同じ教室を使っていたが、講座の内容は別で、授業日も別だった。だが、わたしのことなら、学生たちは太古代から来たと思っただろう。フランクがいみじくも名づけた「共有語彙」を、わたしたちは失っているのだろうか。「わたしたちが共有する共通理解の範囲は狭まっているのか。個人の隙間《ニッチ》が公共の広場《スクエア》に取って代わったのか」とフランクは問う。

　共有語彙や共通理解の範囲は、今この時点で縮んでいるばかりでなく、もう何世紀にもわたって縮んできたのだ、とわたしは答えたい。縮み方は速くなったかもしれないが、これは昔から続いてきたことである。わたしは、違う年代に書かれたさまざまな記事の中のどんな表現が通用するかしないかを、教室の学生たちを相手に調べるのを常としている。「Ｙ２Ｋ――この意味知っていますか」九〇年代も後半に差しかかる前は、誰も知らなかった。今でも廃れていないとすれば、あとどれぐらい使われ続けるだろうか。

　Ｙ２Ｋ、ＱＥ２、Ｐ－38、Ｂ－29、エノラ・ゲイ、ＮＦＬ、ＮＢＡ、ＣＢＳ、ＮＢＣ、Ｆｏｘはど

うか。今日は通用しても、明日には忘れ去られるだろう。現れては消える彗星のように。

言及の枠組みに関して、わたしはマサチューセッツ州である調査をした。春学期が始まる数週間前のこと、間もなく『ニューヨーカー』誌に掲載されることになっていた「取材（Elicitation）」という記事を題材にして、学生たちの反応を調べたのだ。なぜマサチューセッツ州かといえば、かの有名なブルックライン・ハイスクールがこの州にあり、メアリー・バーチナル先生が四年生の英語を担当していたからだ。そして、イサベル・マクフィー、つまりわたしの娘ローラの娘がそのクラスにいた。

この記事の言及の枠組みは数十個の項目から成り、七〇〇〇語の縁を取り囲んでいた。

「このリストを使って、みなさんにお聞きしたいことがあります。これから読み上げる名前や場所を知っていたら、手を挙げてください。ウッディ・アレンはどうですか」

一九人が手を挙げた。その日、その教室にいた生徒はみな、ウッディ・アレンを知っていたわけだ。リストの中で同じく一九人が手を挙げたのは、モハメド・アリ、『タイム』誌、ホールマークのカード、デンヴァー、メキシコ、プリンストン大学、ウィンストン・チャーチル、『ハムレット』、トロントであった。満点を取ったのは、全体のおよそ一五パーセントだ。

セイラ・ペイリン、オマハ、バーブラ・ストライサンド、ロールス・ロイスは一八人が挙手。

ポール・ニューマンは一七人。

ヒースローは一六人。

フォートノックスは一五人。

エリザベス・テイラー、『マイ・フェア・レディ』は一一人。

カシアス・クレイは八人。

ウォータールー橋、マギー・スミスは六人。

ノーマン・ロックウェル、トルーマン・カポーティ、ジョーン・バエズは五人。

ルパート・マードックは三人。

ハムステッド、ミッキー・ルーニーは二人。

リチャード・バートン、ローレンス・オリヴィエ、ヴィヴィアン・リーは一人。

イギリスで「ボビー」とは何のこと？――一人。

カラブリア、セント・ジョンズ・ウッド、ペッカム・ライ、チャーチル・ダウンズ、オールド・ヴィック、『ニュース・オブ・ザ・ワールド』紙、ジャッキー・グリーソン、デイヴィッド・ブラウアー、ラルフ・ネルソン、デイヴィッド・サスキンド、ジャック・デンプシー、スティーヴン・ハーパー、トーマス・ホヴィング、ジョージ・プリンプトン、J・アンソニー・ルーカス、ボブ・ウッドワード、ノーマン・マクリーン、ヘンリー・ルース、ソフィア・ローレン、モート・サル、ジーン・カー、ジェイムズ・ボズウェル、サミュエル・ジョンソン――〇人。

＊

一九七〇年、わたしは『プレイボーイ』誌の仕事でウィンブルドンへ行った。二週間の大会期間中に取材し、選手たちだけでなく、その場で受けたさまざまな印象を集めて記事にするという企画だった。書き上がった記事は、それぞれ独立した話題を取り上げた部分から成る、かなり長いものになった。だが各部分は、たとえばこんなふうに、ごく短い。

第五コートのルー・ホードには風雪に耐えてきた王者の風格がある。この大会にはスペインからやってきた。アンダルシアの平野にテニス施設を所有し、そこに住んでいるのだ。技術の点からいえば、ホードはかつてのヒーローだ。カムバックをめざしている。だが、ここに集まったファンにとっては、勝とうが負けようが、ホードがここにいることがカムバックである。ホードは大いなる威厳に溢れ、コートを幾重にも取り巻いている人たちは、ただそこにいて雰囲気を味わい、ホードにまた会うためにやってきたのだった。ホードは爆発的なサーブを打ち込んだ。ボールはコートに触れもせず、対戦相手の後ろにあるフェンスにぶち当たる。ホードは正確さを失っていた。死者の復活は時間がかかるものだ。

ホードは間もなく敗退した。一方、こんなことも起きていた。

会場の奥まったコートで、スタン・スミスが徐々にハイメ・フィロルを葬り去っていく。……一方、ロッド・レーヴァーは完全に独走、試合はエキシビションの様相を呈し始めた。

会場のオールイングランド・ローンテニス・アンド・クローケー・クラブでは、試合運びそのものよりも面白いことがしょっちゅう起きていた。何しろここは十九世紀の標準化石なのだ。

専用ティールームで選手たちは、淡いブルーの籐椅子に座って、淡いブルーの籐製テーブルを囲み、クロッテッド・クリームをかけたイチゴを食べる。

わたしの記事を担当したのはアーサー・クレッチマーという穏やかな編集者で、彼は間もなく『プレイボーイ』誌の編集担当重役に昇進し、その後三〇年間その地位にとどまった。いつも電話で行ったクレッチマーとの打ち合わせは、楽しく、滞りなく進み、「イチゴ」だの「葬り去る」だの「復活」などといった件《くだり》もすんなり認められた。だが、それも「メンバー専用区」に触れた部分までだった。

「メンバー専用区」は「メンバー用芝地」にある。そこでメンバーと招待客たちは、白いパラソルの下に座り、ラムのベストエンド・サラダとクロッテッド・クリームをかけたイチゴを食べる。池には金魚が泳いでいる。金魚はハロッズからの借り物で、クラブメンバーたちは上流中産階級の最上流層からの借り物である。ウィンブルドン大会はイギリス社会のこの層の年次総会のようなものだ。往路も右舷、復路も右舷の人たちである。

「どういう意味ですか、これ」とアーサー・クレッチマーに訊かれた。

そこでわたしは、ほんのちょっと驚いたふうを装い、こう説明した――かつてイギリスがインドを統治していたころ、人びとはエアコンのない船でインドへ向かいました。それで、いちばん高級な特別室は強い日差しを受けない側、つまり左舷（port side）に置かれました。そして本国へと西へ向かって航行する場合、特別室は同じ理由から、右舷（starboard side）に置かれたのです。つまり、往路は左舷で復路は右舷（portside out, starboard home）というわけです。これが「上流階級」を意味するポッシュ（posh）という言葉の語源だと、まあ一般的には言われているわけです。ウィンブルドン大会会場のメンバー専用区にいる人たちは、王室が開催するアスコット競馬に集まる人たちと比べれば一ランク下でしょう。だから「往路も右舷、復路も右舷」というわけです。

電話の向こうの沈黙がどのくらい長く続いたか、手元にストップウォッチがなかったのでわからない。だが、やがてクレッチマーがこう言ったのは覚えている。「おそらく、それがわかる読者は一万人に一人もいないでしょうね」

わたしはこう言った。「でも、このウィンブルドンのわたしの記事、一万三〇〇〇語もあるんですよ。ほかに何一つ問題もなく、オーケーしてくださったじゃありませんか。そのたった一人の読者のために、なんとかこの表現を残していただけませんか、お願いします」

「いいでしょう」とクレッチマーは言ってくれた。

確認

セイラ・リッピンコットは、一九九〇年代初めに『ニューヨーカー』の編集部を引退し、今はパサデナに住んでいる。一九六六年から八二年まで事実確認部で働いていた。セイラは科学を熱烈に愛していた。科学にまつわる原稿が入ると、必ずコピーがセイラのデスクに届けられた。一九七三年、セイラは「結合エネルギー曲線（The Curve of Binding Energy）」というタイトルのわたしの長い記事に三～四週間も、一分たりとも無駄にすることなくかかりきりになった。いつだったか、セイラはジャーナリズム講座でこんな話をしたことがある。「記事の中にある単語は、それに事実のかけらでもくっついていればすべて一つひとつ調べ、問題がなければ、確認者の証印である鉛筆書きの小さなレ印を付けていくのです」。わたしが書いたあの六万語の記事の中に、セイラをとくに悩ませたパラグラフが一つあり、その採否を決めるためにセイラがどんなに骨を折ったかは、今でもはっきりとわたしの記憶に残っている。あの記事は、私企業が持つ兵器級核物質に関するもので、テロリストがそれを使って何ができるか、できないかを考える内容だった。

件《くだん》のパラグラフは、ジョン・A・ホイーラーという人物から聞いた話がもとになっていた。第二次世界大戦中、ホイーラーは第一級の物理学者としてワシントン州中南部コロンビア川河畔のハンフォード・エンジニア・ウォークスという施設に駐在し、世界初の大型原子炉の立ち上げとプルトニウム生産に携わった。一九三九年には、デンマークの物理学者ニールス・ボーアと共同で、もっとも分裂しやすい原子核と分裂に伴う結合エネルギー放出のメカニズムを突き止めるという業績を挙げていた。一九四三年から四四年にかけて、ハンフォードで初の原子炉の設計図が検討されるなか、ホイーラーは基本的な断面図を円形から正方形に変更するよう強く提案した。そうすれば、必要ならさらに五〇〇本の燃料棒を原子炉の黒鉛マトリックスに挿入できるからで、この変更は途方もなく高くついたが、採用された。ホイーラーが懸念していたのは、キセノン毒作用のような問題で核反応が影響を受けることだった。そのとおりになったが、追加燃料棒からの中性子束の増加がこの問題を解決した。その後、プリンストン大学の教授になったホイーラーの研究室にわたしが取材にお邪魔したのは、一九七三年のことだ。懸命にノートを取りながら話を聞いて一時間あまり経ったころ、ホイーラーはふと思いついたようにこんなことを言った――一九四四年から四五年にかけての冬、ハンフォードで奇妙なことが起きたんだ。いや、あるいは起きなかったかもしれんが。この目で見たわけではないし、その話が刊行物に報告されたのを読んだこともない。ハンフォードは束状草類が生い茂る野原に作られただだっ広い施設で、噂話や秘密情報や作り話が渦巻いていたんだ。もしきみがこの話を取り上げるなら、自分で確認を取ってからにしてくれないか。本当に起きたことかどうか、わたしには確かめようがないのだから。ホイーラーが耳にしたのは、日本軍の発火性気球のことだった。日本で打ち上げられた気球の一つが、ジェット気流に乗って太平洋を越え、プルトニウム（やがて長崎を破壊することになる爆弾の原料）を作っていた原子炉の上に落ち、原子炉を操業停止に追い込んだという話だった。

こうした気球を、日本人は「風船爆弾」と呼んでいた。直径一〇メートルほどもある紙製の気球で、発火装置か爆薬が搭載されていた。一年足らずのうちに九〇〇〇個が本州の海岸から放球されたという。風船爆弾はアラスカからメキシコまで広い地域に到達し、オレゴン州で六人（うち五人は子ども）の命を奪い、各地で森林火災を起こした。もっとも東の到達地点はミシガン州デトロイト近郊のファーミントンとされている。「結合エネルギー曲線」と題するわたしの記事原稿はハンフォードを中心に書いたものではなかったが、風船爆弾が原子炉を止めたエピソードに数行を割いていた。わたしは原稿を仕上げ、セイラに提出した。この話が確認されたら活字になるだろう。確認できなければ、この部分は削られる。本当の話であればいいなと願うが、あとはセイラに任せよう。

セイラは、アメリカ中のあちらこちらに――ブルックヘブンからベセスダ、ラホヤからロスアラモスに至る各所に、もちろんハンフォードやワシントンＤＣの数カ所にも――電話した。数えきれないほどのレ印を一語一語に付けるには、ほかに山ほど仕事があったが、セイラは風船爆弾のことで何日も電話をかけ続けた。ある日、ついに糸口らしきものが見つかった。ある人が、その話を自分は確認できないが、できる人を知っているという。

「それはありがたい。で、どなたですか、その方とは」

「ジョン・ホイーラーですよ」

「このエピソードはあきらめよう」と、わたしはセイラに言った。「誰かの作り話に違いないよ、これは。その部分を記事に載せなければいいんだ。やることは、すべてやったんだから」。だが、セイラは電話をかけ続けた。

セイラが暗がりの中で情報を探していたとすれば、その暗闇とは戦時の秘密主義であった。当時、ハンフォード、パスコ、ケニウィックといった町々やリッチランドの村を含む一帯に、建設作業員から学者まで四万五〇〇〇人が住んでいた。なかでもリッチランドは、かつては人口わずか二〇〇人だったが、一九四三年に陸軍が土地を買い取り、四〇〇〇棟の住宅を建てて拡張した村である。多くの人が住んでいたにもかかわらず、マンハッタン計画の一端を担ったハンフォード・エンジニア・ウォークスは極秘の事業であった。統合参謀本部さえ知らされていなかったという。ハリー・トルーマンがこれについて知ったのは、一九四五年四月、フランクリン・ローズヴェルトの死を受けて大統領に昇格してからだった。ハンフォードの住民たちは「油断大敵、常に警戒」などと書かれたポスターをしょっちゅう目にしながら暮らしていた。夜になると、採尿瓶を家の戸口に出しておく。尿中に排泄されたプルトニウムを検査するためだ。ここではプルトニウムのほかに作るものとてなかったから、住民は国内のどこよりも高い率で子どもを作った。リッチランドに住んでいたあるFBI捜査官は、防諜活動の一環として、パスコやケニウィックの町の売春宿に美人の妻を連れて出かけて行ったという(いわば地面に耳を付けてスパイの動きを探ろうとしたわけだ)。夫が屋内で仕事に励む間、妻は外に止めた車の中で待っていた。FBI捜査官たちは誰がスパイにねらわれやすいかを調べようと、各家庭を回っては、酒飲みはいないか、隣家のベッドルームに忍び込む不埒者はいないかを探り出した。ハンフォード・エンジニア・ウォークスにはこの施設独自の法務官がいたし、独自の刑務所があった。建設作業員が夜の酒盛りを楽しめるようにと、酒場があちこちに建てられた。騒々しい喧嘩騒ぎはしょっちゅうのことで、そのため「酒場の窓は床に近いところに取り付けられていた。あれは催涙ガスを吹きかけるためだった」とホイーラーは語っている。

重要人物は偽名で呼ばれた。エンリコ・フェルミはミスター・ファーマー、ユージン・ウィグナーはミスター・ウィンガー、アーサー・コンプトンはミスター・コーマスといった具合だ。ホイーラーはジョニー・ザ・ジニーと呼ばれていた。「放射線被曝」と言う代わりに「シャイン」と言わなければならなかった。放射線そのものは「アクティヴィティー」と呼んだ。うっかり禁句を口にしたある技術者は、本部に呼ばれ、たっぷり絞られたという。ほんのわずかな例外を除き、働いていた人たちは自分たちが何をしているのか知らなかった。ただ、命令されたことをしていたのだ（「わたしたちみんな、まるでマクベス夫人のように、一日に何回も何回も手を洗ったものですよ」という人もいた）。ハンフォードでもほかの施設でも、マンハッタン計画によれば、「プルトニウムに汚染された傷口のある手足は、いかなる場合も、即時、徹底的に切断」することになっていた。まったく、街中の掲示板に「上腕部切断件数ゼロ。今日で連続二九日」などという表示が出たとしても、不思議ではなかったろう。そのうえ、一般の住宅にはクロゴケグモがいた。ある女性が公立病院に電話して、もし三歳の娘がクロゴケグモに咬まれたときはどうすればいいか問い合わせると、「お子さんがひきつけを起こしたら、連れてくればいいでしょう」と言われたという。施設の中でも外でも、戦争遂行へのハンフォードの貢献について、噂が飛び交った。これは戦争捕虜収容所だ、いや固体ロケット燃料の処理施設だ。生物兵器工場だとか、ナイロン生産工場だとの噂もあった（主要請負企業の一つがデュポン社だった）。実際は何のための施設ですか、と訊かれた陸軍の連絡将校フランク・ヴァレンテ大尉はわけ知り顔にこう答えた。「われわれはコロンビア川の水を抜いているんです。海外輸送のためですよ」

さて、一九七三年の末、『ニューヨーカー』誌では、わたしの書いた「結合エネルギー曲線」が印刷に回る瞬間が近づいていた。いったん印刷に入れば、もう訂正はできない。わたしはもう一度セイラに礼を言い、日本軍の風船爆弾の件は記事から削除してくれと言った。「わかったわ」とセイラは答えた。「でも、最後に、今日の午後にでもちょっと手がすいたら、もう一、二本電話をかけるかもしれない。いや、三本になるかな」。セイラは実際に電話をかけ、デラウェアに住むある人から有力な情報を引き出した――この話を、自分は確認できないが、できる人を間違いなく知っているという。

「それ、どなたのことでしょう。ジョン・ホイーラーさんでしょうか」

「いや、B原子炉の現場主任だった人です。風船爆弾で建物が燃えたとしたら、監督なら知っているはずだから」

「その方、今どちらに?」

「フロリダです、引退しましてね」

セイラはその人の電話番号を探した。当時の事実確認部には、全国各地の電話帳が、床から天井までうずたかく積まれていた。ついに電話すると、外出中だという。

「どちらへ行かれました?」

「ちょっと近くのショッピングセンターまで」

セイラは警察に電話した。事情を話し、何とか手を貸してくれと頼み、連絡してほしいと、自分の電話番号を伝えた。

それから何分経っただろうか。数時間とまではいかなかった。ついに現場監督が電話をくれた。公衆電話からだという。今は懐かしいあの小部屋である。セイラはいきさつを話し、次のような記事の一節を電話口で読み上げた。

実際、風船爆弾作戦はかなりの成果を挙げた。それで、新聞各紙は風船爆弾のニュースを書かないように求められた。日本が自信を深めれば、もっとたくさん放球してくるだろう。そんな事態は招きたくないというのが、アメリカの立場だった。ハンフォードに到達した風船爆弾は、太平洋を横断し、オリンピック山脈だけでなくカスケード山脈の山岳氷河も越えた。そして今、ナガサキ・プルトニウムを生産中の原子炉が収納されている建屋に落ち、原子炉を停止させたのである。

「この話、どうして知っているんですか」と、現場監督はセイラに訊いた。それからこう付け加えた。「風船が実際に落ちたのは建屋でなくて、原子炉に電気を送る高圧線でした。高圧線に触れて、風船は炎上しましたよ」

訂正はぎりぎりで間に合った。

＊

デレク・ジーターもカル・リプケンもピー・ウィー・リースも、みんな時々ヘマをやらかした。『ニューヨーカー』誌だって同じだ。元原稿にミスはなかったが、確認過程でミスが入るなんてことも、ごくごくたまにある。そんなことが起きれば、水に沈まないという歌い文句で売り出された石鹸が沈んだ日のように記憶に残る大事件になる。わたしの場合、たった一度だけそんな経験をしたことがある。それも随分前の話だ。責任は誰にあるかといえば、わたしにはない、絶対に。確認作業を担当したセイラにも責任はない。「盆地と山脈（Basin and Range）」と題するこの記事は、その後数十年間にわたって『ニューヨーカー』誌に時折掲載された地質学シリーズの第一弾で、長い導入部にはプレートテクトニクスや地質年代などといったテーマの説明があり、その一部は元原稿ではこうなっていた。

動くのはプレートだ。プレートはすべて動く。さまざまな方向へと、それぞれ勝手なスピードで動く。アドリア・プレートは北へ動いている。かつてアフリカ・プレートがその後ろからやってきて、これをヨーロッパへと押しやり、イタリアは、まるでヨーロッパに打ち込まれた一本の釘のような形になった。こうしてできたのがアルプス山脈である。

C版からB版へ、そしてA版と、作業はいつものように、スケジュールに従って進む。もはや後戻りできない終わりのときが刻一刻と迫る。この究極の時間帯になると、社屋の中でも、頭の中でも、物事が猛スピードで、控えめに言っても狂ったように進み始める。事実確認担当のジョシュア・ハーシュは大理石よりも落ち着いている男だが、その彼でさえこの時間帯のことを「土壇場の神経過敏状態」と呼んでいる。さて「盆地と山脈」の記事は、締切まであと一五分という段階に入った。わたしの頭の中でいろんな岩が飛び交っていた。もしあのとき、ライムストーンは果物の種よと、セイラに言われていたら、簡単に信じていただろう。締切一分前に、セイラがやってきて、アドリア・プレートの件は間違っていると言った。北ではなく、南西へ動いているという。

「誰がそう言ったの」とわたしはうなった。もう絶望的である。

「エルドリッジ・ムアースよ」

世界的に有名なプレート運動理論家で、オフィオライトの並びから地球変動学を説く論文を数知れぬほど執筆し、アメリカ地質学会の次期会長と目される人物である。心温かく、研究一筋の地質学者で、わたしは何回も現地調査でお世話になっていた。カリフォルニア、アリゾナ、ギリシャ、キプロスの地質史について教えてくれたのはムアース先生であった。わたしは頭がくらくらしたが、セイラに言った。「エルドリッジ・ムアースがアドリア・プレートが南西へ向かっていると言うなら、南西が正しいんでしょう。記事に訂正を入れてください」

翌週の月曜日に出た『ニューヨーカー』誌によれば、アドリア・プレートはモロッコに向かっていた。その週の半ば、暇を見つけてぱらぱらとページをめくっていたわたしは、ふと思いついてムアースに電話した。たまたまムアースは、カリフォルニア大学デイヴィス校の研究室にいた。「先生、アドリア・プレートが南西へ動いているとしたら、アルプス山脈はあそこで何をしているんですか」

「アドリア・プレートだって?」とムアース。

「そうです、アドリア・プレートです」

おでこをポンと叩く音が、電話の向こうから本当に聞こえてきたと思う。「あ、しまった！アドリア・プレートじゃない、エーゲ・プレートだ、南西に向かっているのは」

＊

事実確認をするうえで最悪のミスは、死んでいない人を故人と呼ぶことだ。ジョシュア・ハーシュによれば、これは「本当に気分を害する」間違いである。セイラは介護施設に住んでいたある読者のことが今も忘れられない。高齢のこの人は、誌面で自分が「亡くなられた購読者」の一人になっていると知り、手紙で社に訂正を求めた。当然『ニューヨーカー』誌は次号で訂正を入れたが、それが二重の間違いになってしまった。雑誌が印刷に回った週末に、本人が亡くなったのだ。

間違いは、どんなものであれ永久に残る。いつだったか、セイラがジャーナリズム講座で学生たちに語ったとおり、いったん活字になった間違いは、「図書館で丁寧に分類され、綿密な索引を付けられ、あるいは電子化されて、いつまでもいつまでも生き続け、時代を超えて研究者を騙し続ける。このもともとの間違いに基づいた新たな間違いが生まれ、これが繰り返されて間違いは爆発的に増えていく」のである。間違いと間違いをつなぐ橋のたもとに、事実確認者は抜き身の剣を手に、立つのである。そう考えれば、この仕事がなぜ存在するのか、あるいは、セイラの言葉を借りれば、なぜ出版社が、「疑うことを職業とする一団の手にゲラ刷りを委ねるのか」が説明できるだろう。新聞社には独立した事実確認部がないが、たいていの雑誌社にはある。わたしが『タイム』誌で働き始めた一九五七年当時——いや、まったく、エドウィ公平王の治世と言ってもいいくらいの大昔なのだが——、『タイム』のライターは男性で、調査・事実確認担当は女性だった。みなエキスパートだった。一方、『アトランティック』誌に記事を売ったときは、事実確認は誰がするのかと訊くと「お任せします」と言われた。『アトランティック』には事実確認のための予算がなかったのだ。その後お付き合いのあった『ナショナルジオグラフィック』誌は、事実確認担当者が大勢——アマゾンにいる先住民よりたくさん——いた。『ホリデー』誌や『サタデー・イヴニング・ポスト』誌は、やや手薄といった感じだった。『ニューヨーカー』誌の事実確認部は早くから名声を得ていたが、同じように注意深い校閲に力を入れてきた雑誌はほかにもたくさんある。わたしが初めて『アトランティック』誌に寄稿して二八年後、二度目に記事を書いたときは『ニューヨーカー』誌並みの事実確認プロセスを経験した。

書籍出版社は、事実確認を執筆者の責任だと考えがちである。これはつまり、契約の面からいえば、誰が何のために何を支払わずに済むかということに尽きる。事実確認を経た雑誌記事が本になれば、確認者の労苦の実を味わうのは著者だけではない。書籍出版社もまた、きちんと事実を調べた内容を本にしたという評価をただで手に入れるわけだ。販売を急ぐ出版社が、雑誌社の事実確認部がまだ仕事を終えないうちに見切り発進すれば、当然の報いを受けることになる。雑誌記事を書籍にするにあたって、何といっても頼りになるのは、注意深い購読者たちである。『ニューヨーカー』誌に間違いが一つでも載れば、たちまち熱線追尾式ミサイルが発射され、執筆者、事実確認部、編集者へとまっしぐらに進み、ときに雑誌創刊者の影にまで到達する。事実確認部がいみじくも言うように、「読者に気づかれない間違いはない」。二〇〇五年も末のことだが、『ニューヨーカー』誌にレベッカ・カーティスの秀作短編『二万ドル（Twenty Grand）』が載った。この作品の登場人物たちは、一九七九年にマクドナルドでチキン・マックナゲットを注文しており、まさにそれが理由で、マックナゲットはその年の『ニューヨーカー』誌の「クリスマス・メール」欄で言及されることになった。マクドナルド社がこの商品の全国販売を始めたのは一九八三年だったという指摘が寄せられたのである。

ごくまれに、わたしもこの種のメッセージを受け取ることがあり、そんなときは読者に礼状を書く（めったにないこととはいえ、指摘の内容が意地悪から卑劣までの連続体のどこかに当てはまる場合はその限りではない)。「ありがとうございます。ご指摘のとおりです」とわたしは書く。「おかげさまで、この記事を書籍にするときに訂正できます」。読者からの手紙に、せせら笑いのヒントでも嗅ぎ取れば、こう付け加えずにはいられない。「オオヤマネコのように鋭い目をお持ちの読者が、この数千語にも及ぶ記事をお読みになり、ただ一つの間違いを見つけられたという事実に、わたしはかなりの安堵感を覚えております」

＊

種類や起源を問わずどんな間違いであれ、『ニューヨーカー』誌の読者よりもすばやく見つけられる人たちがいるとすれば、それはスイス人だ。一九八三年十月初旬のある日、事実確認にかけては勲章ものの実績を積むベテランのリチャード・サックスは、ヘッドフォンを着けてチューリッヒの番号に電話した。その後の数週間にサックスは、ベルン、ブリーク、ローザンヌ、ジュネーヴ、サルゲッシュ、シオン、シエールなど、主にスイス陸軍第一〇山岳師団の主な活動地域であるヴォー州の各地に電話することになる。同師団からわたしは、第五連隊第八大隊の情報活動班と行動をともにし、ベルナー・オーバーラント地方の高地やペンニネアルプス一帯を歩き回る許可を、ウールの帽子とともにもらっていたのだった。やがてわたしはこんな記事を書いた。

情報活動班の偵察兵たちはノートとペンを手にあちこちに行き、調査し、質問をし、具体例を集め、情報を書きとめ、そこにいる人びとの特徴や様子を記録し、地形を偵察し、現在行われている活動を調べ、最近の出来事を確認する。それから偵察兵たちは重い足取りで帰り、時間に追われながら、見たり聞いたりしてきたことをまとめ、並べ替えて提示する。これらの作業はすべて「情報活動」の内容に含まれるのである。わたしは情報活動班に限りない共感を覚える。

この部分は問題なかった。事実確認部のサックスは、ただ電話で記事の語句を繰り返し、兵たちは本当にそういうことをしているのかと確かめるだけでよかった。フランス語でなければ通じないとあれば、誰か英語ができる人を出してくれと頼み、語句の一つひとつにレ印を付けていけばいいのだ。だが、彼の仕事はそんな生やさしいものではなかった。

概してスイス陸軍はほぼ完璧な規律を保っていると言えるだろう。また、フランス語で物事を考える兵士たちの間では、規律はそれほど完璧ではないとも言えるだろう。さらに、フランス語を話す大隊の中でも情報活動班においては、この完璧さはともすれば崩壊する傾向にあると付け加えることもできる。

こんな文章について、スイス国防省の役人と電話で話すにはどうすればいいだろう。わたしは、市民兵のための、いわゆる「再訓練演習」に参加し、兵たちと行動をともにしたいと、全取材時間の少なくとも半分は将官のいないところで、というただ一つの条件を付けて、きちんと正式に申請したのだったし、国防省もわたしの配置先に迷うことはなかったようだ。

情報活動には、高官たちや演習マニュアルによれば、ある特殊なタイプの知性が必要となる。

常に情報を探し求め、そこにない情報さえ見つける知性である。平時の演習でもっとも求められるのは想像力だ。ある高官の言葉を借りれば、情報活動班は「情報を生きたものにする」ことで力を発揮するのである。

つまり、情報活動班の人たちに必要なのは、事実確認係だというわけである。

情報活動班の偵察兵たちは、自軍と敵軍の間に広がる非占領地帯を歩き、敵陣の後ろの高地を回る。山々は実在するが、敵は存在しないから、「再訓練演習」には一種のエネルギー減退現象がつきまとう。とくに、実際に偵察に出る兵たちについては、それが言える。指揮所にいて偵察兵のすべき仕事を考える人たちとは対照的である。指揮所の人たちは本質的には編集者であり、その仕事は偵察兵から上がってきた報告を意味のある情報に仕立てることだ。一方、偵察兵というのは、さまざまなタイプの一匹狼の寄せ集めで、軍事活動には熱心でなく、たいていは権威者に対して大なり小なりの反感を抱き、上官たちから「陸軍の面よごし《ブラックシープ》」と見なされ、それを自認もしていた。

この情報活動班に同行し、取材する許可を与えてくれたスイス人の才知は、称賛してもしきれるものではない。まったく手品のような広報活動と呼ぶにふさわしく、わが国には前例がない。わたしが同行した偵察班を率いたのは、ルーク・マシーという名のブドウ農家の若者で、かれはスイスに対する愛国心と反比例する気持ちを軍に対して抱いていたようだ。マシーの携行品の中には突撃ライフルのほかにコルク・スクリューと小グラスが入っていた。荷物の中に隠し入れたワインが数本、砲弾を束ねたような形で出っ張っている。高い山の草地で偵察班は輪になって座った。

マシーはグラスを満たし、目の高さまで上げた。

「乾杯！」と言って、わたしたちに向かってちょっと会釈し、ゆっくりと思慮深げに、グラスを空ける。わたしはたまたまマシーの左側に座っていたので、こう言われた。「ジョン、変なところに座ったな。この辺りじゃ、反時計回りで飲むんだ」。マシーは空になったグラスをふたたび満たし、右側のジーン・ライデンバッハに渡す。BGMはカウベルの音だ。眼下に広がる牧草地にブラウン・スミス種の牛が一九頭いて、まるで募金を呼びかける救世軍の人たちみたいに、ちりんちりんと音を立てている。はるか下方に小さな赤い列車が見えてきた。トンネルから出て、汽笛を鳴らしながら橋を渡る。フルカ・オーバーアルプ鉄道の三両連結列車であった。

数週間というもの、スイス各地へ電話し続けたリチャード・サックスの仕事は、山から山へのパトロール活動を追跡したり、ビルギーシュ地方の難所にあるレストラン――マシー伍長が無線機のアンテナでフォンデュをかき混ぜた、あの店だ――に確認の電話を入れたりするだけでは終わらなかった。残りのもう半分の仕事は、大物ぞろいの将校たちが相手であった。チューリッヒのホテル・ストーヒェン支配人（少佐）、クレディ・スイス取締役（大佐）、スイス銀行コーポレーション総支配人（少佐）、バンクゲゼルシャフト頭取（大佐）、ホフマン・ラ・ロシュ会長（大佐）、チバ・ガイギー会長（少佐）。メイン州からエビを輸入していた少佐もいたが、あるとき現金の束を脛《すね》にテープで止めてスウェーデンに入国したところを見つかったという。この話は、サックスが確証を得られなかったので、記事から省いた。公式案内係を務めたのはフランソワ・ルンプフ大佐、わたしが最初に連絡をとった人だ。スイス国防省が、わたしがスイス到着後、ローザンヌ鉄道駅の二等ビュッフェでルンプフ大佐と会う日時を指定してきたので、わたしは時間きっかりにそこに行った。ルンプフ大佐は、長身で物静かなアドリアン・チュミー警視正――二つ星の職業軍人――の副官だという。警視正はティチーノ州のエンリコ・フランキーニ司令官の直属であった。

司令官はしわがやや目立ち、やつれているが、表情はやさしい。軍帽には星が三つ飾られ、ズボンのサイドに入った一般幕僚を示す黒い幅広の側章は、黒い短ブーツまで伸びている。ときに「謎めいている」とか「ティチーノ州を一歩出れば無名」などと評されることもあるが、七人いるスイス陸軍最高司令官の一人である。

わたしは北イタリアのある静養地で過ごした一カ月をまるまる使って、この記事の最終稿に取り組んだ。あそこでは夕方五時にカクテルパーティに顔を出すくらいしか、ほかにすることもなかったのだ。それまで『ニューヨーカー』誌に提出した記事のなかで、あれほど念入りに推敲を重ねた稿はない。記事の長さは約四万語。リチャード・サックスはその一つひとつにレ印を付けていった。朝早くから電話をかけ始め、スイスの一日が終わるまで一日中電話で話しながら間違いを見つけるのは、いつもやっていることだ。聞き違えた語、思い込みや推測が原因の間違い、参考書や証人からの誤情報、誤解や理解不足による間違い、などなどだ。あれほど長い記事からあれほどたくさんのエラーを見つけるのは、彼にとっては日常茶飯事だったし、わたしも驚きはしなかった。間違いが見つかることを、わたしは予想し、期待もしていた。もう何年も、事実確認専門家たちの腕に頼りきっていたのである。ノンフィクションの長編記事を書くときに、間違いは必ず起きる。書き手が気づきようもない間違いもある。「朝星棒《モルゲンシュテルン》」は、先端に一六個の棘《とげ》のある、長さ二・四メートルほどの棍棒だというのは本当か。シュワルツベルガルブ・ヒュッテは本当にマトマルク湖より標高が高いところにあるのか。ヌスバウム橋へ行くには、ゲウヒハイト、クリザッカー、ヴォーゲルトゥレの村を通るのか。通る順序はこれでいいか。ゲウヒハイト（Gouchheit）の綴りにはhが二つ入るのか。オスマール・ヘルマン・アマン（Othmar Hermann Ammann）という名前の綴りにnはいくつあるか。中隊全員がベットアーアルプ・ケーブルカーまで登るには何時間かかるか。シュワルツェンバッハ村の納屋には何人の兵士が泊まれるか。いや、村の人たちは泊まらせてくれるのか。スイス・ユニオン銀行（Schweizerische Bankgesellschaft）のスペルは？ スイス信用銀行（Schweizerische Kreditanstalt）は？ スイス銀行（Schweizerischer Bankverein）は？ グレアム・グリーンの『第三の男』の中の、鳩時計云々というセリフを書いたのは誰か。ヌーシャテル州出身のルイ・シボレーがアメリカで造った車のフロントグリルは、スイスの地図をかたどったものだというのは本当か。これについてサックスは、ミシガン州ウォーレンのGMテクニカルセンターに電話した。

　サックスの記憶では、わたしにこう報告したという。「シボレーのメーカーはノーと言ってます。そんなことないって」

「でも、会社の言うことが全部正しいとは限らないだろう？」と、わたし。ジュネーヴ近郊にある「外国へ渡ったスイス人博物館」〔現名称は「世界の中のスイス人博物館」〕によれば、シボレーの頭の中には地図があり、考案したのは「ネパ・サン・ラプレ、ドゥ・ファソン・スティリゼ、ル・ペイ・ドリジンヌ・デュ・コンストリュクトゥール（製作者の出身国をさりげなく想起させずにはおかない）」洗練されたエンブレムであったという。映画『第三の男』の不朽の一シーン——第二次大戦後のウィーンの町をはるかに見下ろす観覧車の中——で、オーソン・ウェルズ扮するハリー・ライムは、ウィーンの病院に粗悪ペニシリンを売りさばいていることをほのめかし、下のほうで蠢《うごめ》いているあの点々の一つひとつ（人間たち）は、長い目で見て本当に重要なんだろうかと、長年の友人役のジョゼフ・コットンに問いかける。それから、地上に降りてこうも付け加えるのだ。

イタリアではボルジア家が権勢をふるった三〇年間、戦争やテロ、殺人や流血が絶えなかった。だが、ミケランジェロやレオナルド・ダ・ヴィンチやルネサンスが生まれたんだ。スイスはといえば、兄弟愛と民主主義と平和が五〇〇年続いた。それで何が生まれたって？　鳩時計さ。

わたしだったか、サックスだったか——どちらかよく覚えていないが——は、『第三の男』についてこんなことも発見した。脚本を書いたグレアム・グリーンは、後になってから、これを短編小説のかたちにして出版した。鳩時計の台詞は、この短編にも元の脚本にも出てこない。つまり、グレアム・グリーンはこの台詞を書いていないのである。オーソン・ウェルズの即興だったわけだ。

スイス陸軍の記事が『ニューヨーカー』誌に載れば、膨大な手紙が舞い込んでくるだろうと、わたしは予想していた。スイス人にしかわからない細かな間違いを教えてくれる手紙だ。記事が掲載された一九八三年十月三十一日号と十一月七日号は、スイスで、まったく予想もしなかったほど広く読まれた。数カ月後、記事は本になったが、こちらもよく売れて、英語で書かれていたのに、スイス国内ベストセラー・リストの上位に入った。それにもかかわらず、リチャード・サックスのおかげで、スイスからも（実際、どこからも）英語版の間違いを指摘する手紙は来なかった。二人の翻訳者によるフランス語版がパリの出版社から出版されたが、これには副官フランソワ・ランプフ大佐が一四〇カ所のエラーを見つけ、再版で自ら直しを入れた。

リチャード・サックスは『ニューヨーカー』誌から『リーダーズ・ダイジェスト』誌へと移り、そこを引退してからは小説家として独立した。あの記事が出てから三〇年以上になるが、スイスから修正を求める手紙は未だに一通も来ていないとはさすがだと、最近サックスと会ったときわたしは礼を言った。

ところが、こんな返事が返ってくるではないか。「そういえば、読者から手紙が一通来たことがあります。何かドイツ語についての指摘でしたがね、結局は読者のほうが間違っていたんです」

*

一九九三年、ライターのジャネット・マルコムは、シルヴィア・プラスとテッド・ヒューズについて、またこの三〇年間に書かれたこの二人のさまざまな伝記について記事を書いた。その中で、プラスが死ぬまで二人の子どもたちと住んでいたロンドンの家の小さな飾り板を取り上げている。校正刷りにはこう書かれていた。

オルウィン〔テッド・ヒューズの姉。プラスの著作権代理人を務めた〕とわたしはついにフィッツロイ・ロードのその家にたどり着いた。プラスが自殺した家である。家はすぐにわかった。プラスの伝記に、必ず写真が載っている家だ。長円形をしたブルーの陶製の飾り板も、必ず載っている。そこには「アイルランドの詩人、劇作家ウィリアム・バトラー・イェイツ（一八六五〜一九三九年）が、かつてここに住んだ」と書かれている。プラスの伝記で必ず言及される（が、奇妙に無関係な）細事である。

「奇妙に無関係な」という言葉が事実確認部をすんなり通ることはまずない。担当者は『ニューヨーカー』のロンドン支局に電話した。この場合、「支局」とはまったくの誇張表現で、実際はメイフェア地区の古いビルの上階の、三人か、せいぜい四人が働いている事務所のことだった。当時の支局長は、若いイギリス人でサイクリストのマット・シートン。今では『ガーディアン』紙のコラムニストだ。シートンは飾り板の件の電話のことをよく覚えている。「担当者は、わたしに実際にそこに見に行ってくれと、はっきり言いました。飾り板の色は本当にブルーか、（たとえば、黒いエナメルではなく）本当に陶製か、確かめてくれって……面白いけど、ちょっとばかばかしい仕事だなと、わたしは思いましたよ。だって、ロンドンに住んでいたら、そんな飾り板なんかどこにでもあるし、色も材質もだいたいみんな同じだから」。とはいえ、シートンは腰を上げ、階段を下りて自転車に乗り、ポートランド・プレイスを抜け、リージェント・パークの周りを回ってプリムローズ・ヒルからフィッツロイ・ロード二三番地にたどり着き、イェイツの飾り板を確認した。

一九八〇年代、確認部のミシェル・プレストンは、ニューヨーク市内の道路標識を図像学の観点から論じた記事を担当することになった。そこでオフィスから出て標識を見て回ると、「ほとんど全部間違っている」ではないか。いや、間違っていたのは執筆者で、標識ではなかった。だが、この記事は大丈夫だ。専門家が必要な手直しをすればいいだけだから。ところが、執筆者がアパラチア山脈のどこかの山の頂上をめざし、原野を切り開いて進んだと書いてある記事はどうだろう。確認部の担当者が山に出かけて行くと、頂上まで車で行けることがわかったという次第だ。サンタクロースがグリーンの背広を着て煙突を下りてきた、と書かれていたら、担当者はサンタのウエストサイズや煙突の内径を調べ、背広の色を確認しようとするだろう。フィクションだけでなく、漫画のキャプションやイラストそのものも確認の対象となる。アメリカ国内のガソリンスタンドを通り過ぎる二台の車が、どちらも道路の左側を走っているイラストを見たら、担当者は気づくだろう。コピーの過程で裏焼きになったのだ、と。

　ユーモアも、あらゆる角度から調べられる。そのため、時として確認部の人たちは石頭だと言われる。ジョシュア・ハーシュはそんなふうに言わるのは心外だという。「そりゃ、わたしたちだってユーモアはわかりますよ。人間なんだから。でも、仕事だから訊かなきゃならない。『これはユーモアのつもりですか。冗談ですか、それとも間違いですか』と」

　その両方であることもある。「十九世紀よ、さようなら（Farewell to the Nineteenth Century）」というタイトルで、ケネベック川の現在、過去、未来を描いた記事で、わたしはスクーナー船「ヘスペルス」を取り上げ、メイン州の州都オーガスタの下流の町ハロウェルで建造されたこの船は、「詩人ヘンリー・ワーズワース・ロングフェローによっていろいろな意味《マルティギュアスリー》で難破させられた」と書いた。事実確認部の担当者は、さっそく調べ、わたしにこう言った。「ロングフェローはヘスペルスを難破させませんでした」。言うまでもなく批判的で、ちょっときつい、挑むような口調だった。

　リチャード・サックスから聞いて驚いたことに、以前の『ニューヨーカー』誌では、原稿に書かれていることや逸話などを確認する際、その情報源に確かめるだけで、第三者には、少なくとも原則としては問い合わせなかった。つまり、誰かが「わたしはジェローム・カーンのいとこだ」と言えば、そのとおりだというわけで、一語一語にレ印が付けられた。今日の確認作業は必ず三角法を用いる――もし三人が同じ話をするならば、十分な追加調査を行ったうえで、その話を事実と見なしてもよいかなりの蓋然性があることになる。今日、事実確認担当者は、まずネットを検索し、次にニューヨーク公立図書館をはじめ各所へと、遍歴を始める。不確実から確実への長旅である。一九六〇年代のことだが、「例外的採掘」という難解な法律用語で書かれた条項のもと、ケネコット銅山社がノースカスケード国立公園のグレーシャー・ピーク自然保護区で露天掘り鉱山を開発しようとした。そんなことをすれば、月からでも見える巨大な穴になるだろうと、環境保護団体シエラクラブが主張した。『ニューヨーカー』誌の事実確認部は惑星科学者たちの助言を得て、そんなことにはならないと判断した。

小説家のスーザン・ダイアモンドが『ニューヨーカー』誌の事実確認部で働いていたときのことだが、ある日サンフランシスコのある番号に電話した。「もしもし、そちら市水道局ですか」

電話の相手「いいえ、こちらアクネ空調でございます」

スーザン（ちょっと間をおいて）「あ、そうですか、でも教えていただきたいんですけど」

いや、わたしが耳をそばだてていたわけじゃない。聞こえてしまったのだ。当時、西四三丁目二五番地――ここは、一九九一年に引っ越すまで五六年間、『ニューヨーカー』誌の本社だった――にあった事実確認部は、ひと言で言えば、積み上がった本と崩れ落ちそうな書類の間にデスクを七台押し込んだワンルームであった。五歩も歩けば横断できるその部屋は、独立戦争中ジョージ・ワシントン将軍が本部を置いたヴァレー・フォージの通信室を思わせた――何しろ約三・五メートル四方のその通信室では、二〇人の将官が一日中手紙を書いていたという。セイラ・リッピンコットは、ドイツから来たヘルガという部員を覚えている。「髪の長い、おしゃれな」人だった。ファッションライターのケネス・フレイザーが、ある家具店の商品は「本物じゃない《エアザッツ》」と書いたときのことだ。この記事を担当したヘルガは件の家具店に電話して「ちょっとうかがいたいんですが、お宅にエアザッツな家具ってありますか」と訊いたそうだ。ダスティ・モーティマー・マドックスはこの部の大ベテランで、勤続年数はマーティン・バロンに劣らない。一時期、ファーカバーをかぶせた電話機を使っていた。四三丁目のこの部屋には、「この家に神の祝福あらんことを」と書かれた十字架の形のエンブレムが飾ってあった。やがてユダヤ系の部員たちが異議を唱えたので、この十字架は、資料として部室に備えてある聖書の上に置かれた。一九九一年、『ニューヨーカー』誌が道路の反対側に移転すると、十字架《クロス》も道路を横断《クロス》した。一九九九年、社がタイムズスクエアに移ったとき、十字架《クロス》は世界の交差点《クロスロード・オブ・ザ・ワールド》に落ち着いた。現在の事実確認部のオフィスは、西四三丁目のころの三倍も広くなり、そこで働いている人たちは当時の倍になった。こうした変遷を、マーティン・バロンはすべて経験してきた。バロンは知識を得る手順を熟知した事実確認者である。ある編集者をして、「決して忘れちゃいけないよ、バロンは間違ったことがない」と言わしめたほどだ。これは人物評ではなく、確認可能な事実なのである。ケン・オーレッタの記事を担当したバロンは、オーレッタが著作権代理人のアマンダ・「ビンキー」・アーバンと結婚式を挙げるまさにその当日にも仕事をした。校正刷りを手に新夫婦のマンションまで出かけて行き、花婿をつかまえて、一語一語を確認した。確かめなければならないことは、後から後から出てきた。花嫁は屋上で日光浴をしていたが、やがて下りてきてこう言い渡した。「あら、マーティン、悪いけどもう終わりにしてね。わたしたち結婚しなくちゃならないから」

ロバート・ビンガムは一九八二年に亡くなったが、執筆者に協力して記事を完成させる実務に優れた編集者としてもっとも高く評価され、『ニューヨーカー』誌の編集担当役員でもあった。ビンガムはセイラ・リッピンコットと一緒に「事実確認者に求められる資質リスト」を作った。セイラはこのリストのことを、ジャーナリスト志望の学生たちにこう説明している。「わたしたちが求めるのは、たとえばですけど、打順は九人で組むものだとか、共和党員とは何かとか、あるいは地球は太陽から三番目の惑星だというようなことを知っている人たちです。そのうえ、フランス語、ドイツ語、スペイン語、イタリア語、ロシア語が話せて、ギリシャ古典が読め、血圧が低めで、同僚を愛し、週末に家を留守にしなくてもよい人なら、なおさら歓迎です」。事実確認部で働くには、セイラがここで挙げた例よりもはるかに多くが求められた。共和党の大統領がたいてい答えに詰まるようなことである。たとえば、カタール首長の名は？　ブータンの王は？　保健福祉省長官の名は？　アセチルサルチル酸とは何？　昨夜のダウ平均は？（この質問をビンガムは詩人の評価にも使った）。時が経ち、新たな志望者たちが次々と現れて、このリストは更新され、修正されていった。一九八〇年代、ミシェル・プレストンはこのリストで歴代最高点を獲得した。今は夫のリチャード・プレストンとともに、『ニューヨーカー』誌の寄稿者リストに名を連ねている。

＊

わたしは記事を書くとき、初めのうちは名前や数字などを推量で入れておくことがある。それができるのは、事実確認部が後で調べてくれるという、安心感があるからだ。書いた文を読み上げながら、原稿に手を入れ、さらに直していくには、おおよそでも数値や日付が入っているほうが仕事はしやすい。日付や数値の代わりに、名前TKだの数字TKだの、「カミング（Koming）」などという耳障りな業界用語を入れたくはない。これらは一種の約束手形のようなもので、支払いは事実確認部がすることになっている。「カミング」とは発音どおりの意味、ちょっとキュート（kute）な表現だ。つまりTKとはto come（後で書き入れる）の意味。こうした用語は、少なくともわたしが原稿を読み上げるときの役には立たない。とりあえずだが、推量の部分には代用の文や語を入れておくほうがいい。全長二・四キロもある貨物列車を描いた「石炭列車（Coal Train）」（二〇〇五年）を書いたときのことだ。列車には、先頭から最後尾まで、ブレーキを制御するきわめて重要な空気管が取り付けられていた。これを説明するには比喩が必要だと考えたわたしは、当てずっぽうとはいえ、こう書いた。

エアブレーキの解除は両端から始まり、中央部へと伝わる。列車になくてはならないこの長い空気管は、アメリカウナギの空気袋のようなものだ。

間もなく事実確認部は魚類学者でいっぱいになり、わたしはジョシュア・ハーシュからアメリカウナギの空気袋はほかの一般的な魚と比べるとかなり短いのだと告げられた。

「誰がそう言ったの？」

「ウィリー・ビーマス先生です」

「なるほど」

ウィリー・ビーマスは魚の解剖学の分野では、構造地質学のエルドリッジ・ムアースに匹敵する権威者だ。わたしは三年前に、主にこの人のことを書いた本を出していた（その一部は『ニューヨーカー』誌で紹介されている）。あれからビーマスはマサチューセッツ大学を去り、今はショールズ海洋科学研究所（コーネル大学とニューハンプシャー大学のオフショア教室）の所長を務めている。わたしはコーネル大学にいる彼に電話し、どう直したらいいか相談した。いつも心やさしいビーマスは、この記事にウナギを使えるかどうか、あれこれ考えてくれた――ウナギの空気袋でもいいんじゃないか、比喩として使えるだろう、と。いや、ウナギじゃあ、わが社の事実確認部が通してくれません、わたしも使いたくないんです。そんな話を続けたが、ビーマスは空気袋の長い魚はほかに思いつかないという。どうすればいいだろう。ほかにどんな魚があるか。やがてビーマスはハーヴァード大学に電話した。結局、貨物列車の長い空気管はアミメウナギの空気袋に似ていることがわかった。

*

ニューハンプシャー州メリマックのメリマック川のほとりに、バドワイザーの醸造所がある。操業開始は一九七〇年だった。ここを、ヘンリー・ソローが兄のジョンと一緒に手作りの小船《スキフ》で訪れている。一八三九年のことで、このときの旅をもとに、ソローは第一作となる本を書いた〔*A Week on the Concord and Merrimack Rivers* (1849). 邦訳は『コンコード川とメリマック川の一週間』山口晃訳、而立書房、二〇一〇年〕。川の水が白く渦巻くこの辺りは十七世紀から「クロムウェルの急流」と呼ばれていたが、ソローは「これらの早い流れは、先住民の言葉だとネッセンケグである」と述べ、さらに「大ネッセンケグ川は少し上流の右手から入ってくる」と続けている。ニューハンプシャー州にはk-e-a-gで終わる地名が多い。読むときはaを抜き、「ケグ」と発音する。

二〇〇三年、わたしは娘婿のマーク・スヴェンヴォルドと一緒にソローの足跡をたどり、ネッセンケグ、ナマンセグ、アモスケグの急流を巡った。オールドタウン社のカヌーをやっと漕いで上流に進みながら、あの醸造所が一日に生産できるビールは、いったいどれくらいのケグ（貯蔵樽）だろうかと考えたことを思い出す。帰宅して書いた原稿には、思いついた数字を入れておいた。事実確認部のアニー・ストリングフィールドが読んだのは、こんな原稿だ。

クロムウェルの急流を少し上った国道三号線沿いの、川のすぐそばだが、川からは見えないところにバドワイザーの醸造所がある。一日当たり平均一万三〇〇〇ケグを生産する。

アンハイザー・ブッシュ社を過小評価してはいけない。一日当たりの平均生産量は一万八〇〇〇ケグだった。

＊

川をめぐっては「きつい川」というタイトルの、別の記事も書いた。こちらはジョシュア・ハーシュが事実確認を担当し、こんな一節を気に留めた。

「イリノイ川、ですかあ……」とよく言われる。「聞いたことない川ですね、どこに流れていくんですか」などと。実のところ、アメリカにはイリノイ川が二本ある。どちらも、どうやらあまり知られていないようだ。

一つはイリノイ州を、もう一つはアーカンソー州からオクラホマ州へと流れている。事実確認部でよく利用される『メリアム・ウェブスター地理辞典』には、この二つしか載っていない。だが、ハーシュはネットを検索し、三つ目のイリノイ川を見つけた。オレゴン州にある川だ。こちらも、州内でさえ、よく知られていない川だった。

実のところ、アメリカにはイリノイ川が三本ある。どれも、どうやらあまり知られていないようだ。

（最近、この章が『ニューヨーカー』誌に載る直前のことだが、事実確認部がまた別のイリノイ川を見つけた。今度はコロラド州の川だ。川をめぐるわたしの記事があと四五回発行されたら、アメリカのすべての州にイリノイ川があることになるかもしれない。）

ハーシュにとってイリノイ川のこの一件は、ほんの軽い準備運動みたいなものだった。すぐに、たとえば次のような文章に取り組むことになったからだ。この有名なイリノイ川をのんびり漂っていた大型モーターボートに、空母より長い船が、短い警報を五回――差し迫った危険を知らせる万国共通のサイン――鳴らしながら迫ってきた。一五隻の艀《はしけ》を曳航する、全長三〇〇メートル以上ある引き船だった。わたしはその操舵室にいて、必死でメモを取っていた。

モーターボートがわたしたちの死角――操舵室から見えない約三〇〇メートルの範囲――に入

るまさにその寸前、デッキ上に数人が現れた。ボートはエンジンをふかし、やおらわずかにわきへ寄った。横柄で挑戦的な動きに見えた。わたしたちはそのまま川を下る。モーターボートが左舷側を通り、艀一五隻分の三〇〇メートルを上ろうと操舵室と並んだ、まさにそのとき、男性二人、女性二人が見えた。わたしたちにいちばん近い席——オープン・コックピットの左後部席——の女性は黒と金のセパレート水着を着ている。大理石の彫像といってもいいほどの体形だ。髪は金髪。すばやく、慣れた手つきで、彼女は両の手を背中へ回し、トップの留め金を外すと、それを膝の上に置き、体をくるりと九〇度回して引き船と正面から向き合った。肩を引き、顔を上げ、ひるむことなくポーズをとり続ける。堂々としたその姿勢は重力への抵抗を表していた。不安定な、きわどいポーズだ。彼女はセイレーン〔ギリシャ神話の海の怪物。歌声で船乗りを誘惑し、難破させてしまうとされた〕であり、これがその歌声であった。

ここまではオーケーだ。この種の記述は「執筆者責任」で——これは『ニューヨーカー』用語だが——通すことができた。つまり、これはわたしの経験であり、わたしの描写であり、わたしの構成であり、わたしの組み立て《エレクション》なのだから。女性の水着の色は問題にならなかった。わたしは続けてこんなことを書いた。

彼女はヘンリー・ムーアの作品「突起物のある長円体《オーヴァル・ウィズ・ポインツ》」そのものだった。ムーアはこう述べたことがある。「丸みを帯びた形は豊穣の概念を表す。それはおそらく、地球が、女性の胸が、そしてたいていの果物が丸みを帯びているからだろう。こうした形は、わたしたちの知覚習慣を背景にもつからこそ重要なのだ。生きている人間の有機的な側面は、わたしにとって彫刻のもっとも重要な要素であり続けると思う」

こうして事実確認部の大仕事が始まった。わたしはこのムーアの言葉を、一九七五年に当時プリンストン大学美術館の講師をしていたリン・フレーカーから電話で教えてもらったのだった。ムーアの「オーヴァル・ウィズ・ポインツ」は、ほかの十数点の大型抽象彫刻とともにキャンパスのあちこちで屋外展示されている。わたしは、間もなく始める執筆講座の題材に、この彫刻を使おうと考えていた。この作品は高さが約三メートル、ドーナツのような形をし、内側には左右から円錐状の乳房のような突起物が、同じ形をした反対側からの突起物に向かって伸び、互いに今にも触れそうだ（どこかの礼拝堂の天井画を連想させる）。学生たちは、わたしのこんな表現よりももっと上手に描写できるはずだ。たとえば、少なくとも「ドーナツ」という語は、ヘンリー・ムーアを論じるにはふさわしくないだろう。それはさておき、わたしはリン・フレーカーと電話で話したときのメモを、ムーアの言葉も含めて、ずっと教材に使ってきたのだが、二〇〇四年の今になって、そのムーアの言葉の出典を突き止められない。フレーカーはどこから引用したのだろう。すでにプリンストンから去り、再婚もしたフレーカーとは連絡がとれなくなっていた。

インターネットも役に立たなかった。しかし、ハーシュはニューヨーク公共図書館のカタログを隅から隅まで調べ上げ、彫刻芸術に関するムーアの評論集が、五番街の本館の向かい側の分館にあることを突き止めた。そして一、二時間も経たないうちに、BBCの『リスナー』誌一九三七年版に、ムーアのエッセイを見つけたのである。その昔、リン・フレーカーがすらすらと電話口で語ったムーアの言葉は、最後から二番目のパラグラフに、そっくりそのまま載っていた。修正はほとんど必要なかった。それ以外の部分は「執筆者責任」であった。

女性は動かない。この半裸のマハは、ゴヤが描いたあの全裸のマハよりも強烈だ。両の乳首は二つの目となって引き船をにらみ倒していた。それでわたしはどうしたかって？　ただもう、船から飛び降りて泳いでそこまで行き、何かわたしにさせてくださいと言いたくてたまらなかった。

＊

もしかしたら、わたしは事実確認部の人たちを褒めすぎてしまったかもしれない。結局のところ、確認の仕事は、あの人たちより先に、わたしがしているのだ。それに、わたしは事実確認部の仕事を格段に増やした覚えもない。『ニューヨーカー』が、二〇〇二年のようにわたしの原稿に冷たい目を向けるときなどは、なおさらだ。何やら不可解な理由で採用されなかったのは、ある魚のアメリカにおける歴史を書いた一万二〇〇〇語の記事で、わたしはこれを出版予定の本に入れたかった。そこで、原稿の、確認の済んでいない部分の確認作業を自分ですることにした。「弁護士が自分で自分の弁護に立てば、バカを見る」と言われるが、それも覚悟の上だった。この仕事には三カ月かかった。原稿に書かれた事実を、考えられる限り多くの側面からさかのぼって調べた。事実確認部の人たちがいつもやっていることだ。だが、インターネットで、図書館で、せっせと調べても、なぜか時間ばかりが過ぎていく。文章に手を入れるべきか、そのままにすべきか判断に迷う箇所がいくつか残り、作業全体が遅れて、わたしは中断の一歩手前まで追い込まれた。

ペンの娘マーガレットはデラウェアで釣りをしていた。実家の兄弟にこんな手紙を書いている。「丈夫な継ぎ竿とリールを四本、それに丈夫で質のいい釣り糸を買ってくださいませんか……」

問題は竿でもリールでもなく、ウィリアム・ペンの子どもたちだった。「マーガレット」にコンマは必要か？ コンマを入れるか入れないかで、ウィリアム・ペンには娘が一人しかいなかったか、あるいは何人もいたのかが示されるのだ。つまりコンマは、文中にあってもなくても、ただの句読点ではなく、事実を語るのである。バドワイザーの生産量やサンタクロースの服の色と、重要さの点で変わりはない。ペンには娘が何人かおり、マーガレットはその一人で、コンマなしで本に載った。次にわたしが取り組んだのは、記事のこの部分だ。

一七一六年八月十五日の水曜日、マサチューセッツ州ケンブリッジ近郊のスパイ・ポンドで釣りをしていたコットン・マザー〔一六六三―一七二八。ボストン第二教会の牧師。セイラムの魔女裁判に関する論文「見えざる世界の驚異」（一六九三）などが有名〕は、カヌーから転落した。魚は一匹も捕れず、びしょ濡れで水から上がったマザーは混乱してこう叫んだ。「おお、なぜこんなことに！ 神よ、この意味を教えたまえ」。間もなくマザーは、釣りなどを楽しんで神から与えられた時間を無駄にしてはいけないと、牧師仲間に説き始めた。つまらない説教だ。もう一人、別の牧師、フルヴィタトゥリス・ピスカトールの話をしよう。この人はジョゼフ・シーコムとして知られているが、コットン・マザーが死んだときは二十一歳だった。一七三九年、メリマック川のほとりでピスカトールが行った説教は、のちに『釣りの季節にあたり、アマスケーグ・フォールズで行われた説教の一部』として出版された。九部が現存している。その一部は一九八六年に競売にかけられ、一万四〇〇〇ドルの値がついた。わたしが読んだのは、フィラデルフィア図書館会社所蔵の一部で、古書ディーラーのこんな紹介文が挟まっていた。「魚釣りについてアメリカで初めて書かれた書。野外スポーツを取り上げたアメリカで初めての出版物。これほどの昔に、しかも娯楽のための魚釣りを、誰かが擁護する必要があった時代に書かれたシーコムによる卓越した釣り擁護論」

この節の中の一文に、二〇〇二年の当時にはなかなか確認できない部分があった。当たり障りのない別の表現に変えることもできたが、わたしはこだわり、どこまでも確認したかった。この部分だ。

この人はジョゼフ・シーコムとして知られているが、コットン・マザーが死んだときは二十一歳だった。

この一文に変更を入れず、その一語一語にレ印を付けるには、マザーの没年とシーコムの生年だけでなく、月日まではっきりさせなければならない。マザーが亡くなったのは一七二八年二月十三日、シーコムは二十一歳か二十二歳になっていた。どちらだろうか。インターネットで検索してもわからない。各地の図書館に当たったが、情報は見つからなかった。ジョゼフ・シーコムあるいはフルヴィタトゥリス・ピスカトールの作品集を参照してもわからない。シーコムが牧師として二〇年以上も暮らしたニューハンプシャー州のキングストンに電話すると、教会や町の記録簿を調べて返事をしますという親切な答えが返ってきた。実際、担当の女性は二、三日後に返事をくれた。「申しわけありません、あちこち探しましたが、シーコムの生まれた日付の記録はどこにもないようです」。わたしはあきらめかけた。こうなれば、問題の箇所を「二十代の初めだった」に訂正するしかない。と、突然ひらめいた。シーコムは一七三七年に牧師としてキングストンに赴任した。ということは、その前にどこかで学校に行ったはずだ。当時、マサチューセッツ湾直轄植民地にある高等教育機関といえば――わたしはハーヴァード大学に電話した。

代表電話番号から誰かに回された。わたしの質問を聞くと、その人はほんの数秒もあけず、すぐさま答えた。「一七〇六年六月十四日です」

第四稿

行き詰まり。人によっては何カ月も書けなくなる。そのまま、死ぬまでずっと書けない人もいる。作家はみな、一日の始まりから行き詰まりを経験し、言葉を出せなくなる。ごく短期間の、たいしたこともない行き詰まりばかりとは限らない。「親愛なるジョエル君……」。これは、自ら招いた自虐的無気力状態――作家は毎日きまってこれを経験する――に陥り、苦しみ叫ぶ教え子たちに、わたしが送った数々の手紙のほんの一例だ。この手紙のジョエル君は、やがて大きな賞を何回も受け、数えきれないほどの著作を著し、全国に名の知れたコラムニストになる。だがこの手紙の当時、彼はこの現実の世界と執筆の世界の間の電気柵を越えるには、書くことそのものと、少なくとも同程度の創意が必要だということにようやく気づいたところだった。「ジョエル君、たとえばきみがハイイログマのことを書いているとしよう。だが、言葉が出てこない。六、七時間、あるいは一〇時間経っても、ひと言も出てこない。きみは行き詰まり、いらいらし、絶望的になる。きみは闇の中だ。この闇に向かってこれまで進んできたんだ、きみは。さて、どうするか。書くんだ、『ママへ』と。母親に、行き詰まりのことや、自分の不満や能力不足や絶望を語るのだ。ぼくはこの種の仕事には向いていないんだ、と弱音を吐き、不平を並べてごらん。抱えている問題をおおかた述べたら、次はそのハイイログマは胴回り一四〇センチ、首回り一七五センチ以上もあるが、走ったら競走馬に負けない、などと書けばいい。ハイイログマは寝転がって休むのが好きで、一日一四時間は休むとかなんとか、そんなことをできるだけ書くのだ。書き終えたら、『ママへ』で始まる不平不満たらたらの部分を削り、ハイイログマの文だけを残せばいい」

ひょっとしたら読者のあなたは（お名前がジェニーでもジュリーでも、あるいはジュリアン、ジム、ジェーン、ジョーでも）ジョエルかもしれない。最初の原稿を書きながら、不安を感じるのは不思議でも何でもない。言葉と言葉を連ねていく自信がない、どうしても抜け出せないところにはまり込んでしまった、と感じるなら、また、絶対に切り抜けられない、こんな仕事は自分に向いていないと思い、書いてきたものがまったくの失敗作のように見えて完全な自信喪失に陥るなら、あなたは作家に違いない。もし、自分はほかの人とは違う見方をするんだとか、自分は十分努力しているんだと思い、「書くことが大好きなんです」などと人に言うなら、あなたは妄想に取り憑かれているのかもしれない。というのも、まだ存在もしないものを優れていると判ずることは、誰にもできないからだ。うまくいかない部分を特定しない限り、つまり、書き進むうちに作品の評価を下げる大きな暗い点々が文中に見えてくるものだが、それがまだ見えないうちから——どうやって作品の基調を高め、よい文にすることができるだろうか。

「ママへ」で書き出し、後でその部分を削るというやり方を思いついたのは、もう何年も前にプリンストンのＹＭＣＡで作家のパネルディスカッションに参加していたときのことだ。家族でただ一人、十歳のジェニーが聴きに来ていた。ハイイログマの話が大いに笑いを誘った後、わたしは憂鬱な顔で「自ら招いた自虐的無気力状態」の話を蒸し返したのだが、後でジェニーは、わたしの話は中途半端だったと言った。

「あれで全部じゃないってこと、パパだって知ってるくせに。いい部分も話せばよかったのに」

ジェニーの言うとおりだった。あれは第一稿のことだけで、全体のことを言ったわけじゃない。第一稿の筆の進み方はのろく、ぎこちないものである。というのも、一つひとつの文がその前だけでなく、後に続く文に影響するからだ。カリフォルニアの地質に関する拙著の場合、第一稿を仕上げるのに憂鬱な二年間を要した。第二稿から第三稿、第四稿までは全部で六カ月しかかからなかった。わたしの場合、この四対一という執筆時間の比率――第一稿の執筆時間と、それ以後の稿の合計執筆時間の比――は、作品のテーマや長さに関係なく、いつも一定だ。第一稿をほんの数日か数週間で書き上げたとしても、この比率は変わらない。一つの段階を進むごとに、心理状態は変化する。第一稿はまさに、落とし穴と振り子の世界であり、それを過ぎると、まったく別の人格が仕事を引き継いだように感じられる。恐怖はおおかた消え去る。数々の問題点は、もはや大きな不安の原因にはならず、むしろ興味の対象となる。経験がものをいうのである。アマチュアに代わってプロが登場したかのようだ。こうして日々はあっという間に過ぎていくが、楽しいと思える日々も、たしかに少なくはない。

ジェニーは、プリンストン高校の四年生のとき、宿題の作文を完成するどころか、書き始めてもいないといら立ち、通学途上の車の中でわたしにこぼしたことがある。自分は無能だ、最初からきちんとやるのは難しい、きまって書き直しが必要になる、などなどと。わたしはジェニーを送り届けた後、そのまま研究室に行き、こんな手紙を書いた。「ジェニー君。作文を書くときは、三、四回は書き直すものだ。一回じゃだめだ。わたしの場合、最初がいちばん難しい。何かを、何であれともかく何かを、自分の目の前に取り出すことだ。ときには緊張のあまり熱に浮かされ、まるで壁に泥を投げつけるように、次から次へと言葉を放り出すことがある。第一稿では、何かを、何でもいいから口に出し、言葉にし、べらべらとしゃべるのだ。こうして、ある種の核ができ上がる。それを書き直し、修正を入れるうちに、目にも耳にも、より快い文になるはずだ。そして、もう一度手を入れる。初めから終わりまでだ。たいていはこの段階になると、ほかの人に見せたいと思えるような文になっている。これらの段階はすべて時間がかかる。それに、ここには隙間の時間は入っていない――言葉を絞り出して最初のひどい稿を書き上げたら、それをちょっとしまっておくといい。たとえば、車に乗って家に帰る。その途中も、頭の中はまだ言葉を編んでいる状態だろう。もっとましな言い方はないか、問題の箇所を修正するためのうまい表現はないか、と。もし最初の稿を書いていなかったら、つまり第一稿が存在しなかったら、もっとよくするための言葉を考えてはいないはずだ。要するに、実際に執筆に携わるのは、一日に二、三時間かもしれないが、頭は何らかのかたちで二四時間ずっと――そう、眠っている間も――働くのだ。ただし、それには第一稿（あるいは前の段階の原稿）が存在していなければならない。存在しない限り、執筆が本当に始まったとは言えない」

書いたものは書き直すことができる。普通の作家と舞台で演じる即興詩人（上演者）との決定的な違いはここにある。実際のところ、執筆の過程のエッセンスは書き直しにある。一行も失敗したことがない完璧な作家などというものは、おとぎの世界にしか存在しない。

大人になったジェニーは小説家になり、これまでに三作を発表している。何事に際しても、まるで詰め開き《クローズ・ホールド》で逆風航行する帆船のように失敗を恐れず、ぎりぎりのところで見事に切り抜けるジェニーは、自分のしていることについては一切語らず、一切明かさない。一度など、わたしが「そろそろ新しい作品のことを考えているかい」と尋ねると、「先週、一冊終わったばかりよ」と言っていた。二歳年下で、小説を四作発表しているマーサは、一日に九回もわたしに電話をよこし、執筆なんて無理だ、自分は向いていない、いま書いているものだって絶対終わらないと思う、などと愚痴る。わたしのことをジブラルタルの岩山みたいに頼りになる存在だと思っているらしい（ところが、そのわたしときたら、たいていは無理な第一稿を三分の一ほど書き上げたところで挫折寸前、ということが多い）。いわば物言う岩山になったわたしは、こんな言葉をかける。「そのまま書き続けるんだよ。継続が大事なんだ」。「そんなに落ち込むなんて、きみが本物の作家だからこそだ」。「どこが壊れているかを突き止めない限り、修繕はできないだろ」

のちにジェニーは、十歳のときに聴いたYMCAでのあの講演を懐かしく思い出し、わたしの気持ちが本当にわかり始めた気がしたという。大学を出て一〇カ月、エディンバラで研究員として本を書いていたときのことだった。いつも不安で仕方がない、がっかりすることばかりだ、とジェニーはわたしに手紙で訴えてきた。そう、あれは手紙を航空便で送る時代であった。わたしもよく返事を書いた。

作家になりたいとは思うけれど、とジェニーは訴えた。「考えが甘いんじゃないか」って、来る日も来る日も自分に問いかけている、と。

「わたしも、ちょうど四〇年前に、それと同じことを自問し始めたよ。それまで、十二歳のころまでは、そんなことは考えもしなかった。ちょっとタイプライターを叩けば金が入るなんて超簡単で、まるで詐欺かごまかしのように見えたものだ。今でもわたしは『考えが甘いんじゃないか』と自分に問いかける。最近も、まさにそのとおりだと痛感して、オフィスのクッションに顔をうずめてしまったことがある。地質学に関する記事を書いていたときだ。まったく考えが甘いんじゃないか、こんなテーマを取り上げるとは。自分を誰だと思ってるんだ？　まったく恐ろしいことだ、こんな企画にはまり込むとはなあ。まるで、洞窟に入り込んだはいいが、出口はどこだと探すようなもんじゃないか。だが、こんなふうに不安を感じるのは、書くということの一つの要素、大事な、不可避の要素なんだ。若い作家の口からそんな不安を聞けば、それは一つのチェックポイントになると思う。そんなことをひと言も言わない人は、おそらく考えが甘いんだよ」

ジェニーにはこんな悩みもあった。「わたしの文体っていつも、そのとき読んでいるものと同じか、さもなければ、自己意識の強い、ぎこちない文になってしまう」

「そりゃ、困ったことだね、もしきみが五十四歳だというなら。だが、二十三歳ならそれが当たり前だし、重要なことでもあるんだ。成長過程にある作家は、いつでもどこでも、優れたものに出会ったら必ず反応するものだ。そして言うまでもなく、あこがれの作品の骨組みから自分自身のものを引き出す過程で、ある種の模倣をする（これは避けられない）。模倣の部分はすぐに消え去っていくよ。残るのはきみ自身の声による新しい要素だ。これはもう模倣じゃない。こうして、きみの作風ができ上がっていくのだ。一度に少しずつだ。きみは、ぎこちなさや自己意識とは無縁のスタイルをめざしているんだろう？　さもなければ、こんな話を持ち出さなかったはずだから、きみがめざすところは正しいよ。だから、挑戦し続けることだ。生まれたときから、落ち着いた、気取らない文を書ける人なんかいない。作家というものはゼウスの耳から完全なかたちで飛び出てくるわけじゃないからね」

ジェニーはまたこんなことも言った。「わたしって、何かやり遂げるってことがないみたい」

「わたしもなんだ」

こう言って、わたしは自分の仕事に戻り、夕方五時まで書き続けられないという自分の無力さや、追い詰められたという動物的感覚に向き合うことにした。いやはや、これではジブラルタルの岩山どころか、砂のようなもんだ。

＊

運がよければ、たいてい第二稿が終わるころには、誰かに見せたいもの、何か使えるものがここにあり、どこかへ消えてしまうことはないと感じることができる。これはうれしい感覚だが、高揚感とはほど遠い。ただ、もうちょっと、おそらく来月の半ばまでは生き延びられるぞ、と息をつく程度の感覚にすぎない。第二稿を声に出して読んだら、大げさな表現や雑音にしか聞こえなかった部分を削除しながら、三回目の見直しを進める。第四稿のために、単語や語句を鉛筆書きで四角く囲んでいく作業である。執筆の過程でわたしが楽しいと思う段階があるとしたら、それはこうして四角で囲んだ語句の一つひとつについて、代わりの表現を探していく第四稿である。この最終段階の修正は小規模かもしれないが、わたしにとっては大きな意味があり、わたしはこの作業が楽しくて仕方がない。これを校閲《コピーエディティング》と呼んでもいいだろう（もっとも、本職の校閲者は別にいて、原稿チェックをしようと待ち構えているのだが）。執筆教室で基本的にわたしがしているのは、編集者兼校閲者のふりをして学生たちの原稿を読むことである。学生との面談の前には、提出された作文を読み、気になる語句を四角で囲んでおく。同じことをするようにと、学生たちにも助言している。

　四角で囲むのは、ぴたっとしない語句だけではない。意味は通じるが、別の言葉で言い換えができる語句も囲んでいく。つまり、そのままでもまったく構わないが、より適切な語句、ピンとくる表現があるかもしれないなら、探してみるべきである。もし何も思い浮かばないなら、ぐずぐずせずに読み進み、四角を描き続け、後から読み返して、一つずつもう一度考えればいい。もしsensitive（繊細な）という単語が、その文脈では大げさな感じがするという理由から四角で囲まれていたら、susceptible（敏感な）を入れてみればいい——sensitiveを辞典で引くとhighly susceptibleとある。辞典に関していえば、わたしが調べるのは、知らない語句より知っている語句が圧倒的に多い。その比率は少なくとも九九対一と言えるだろう。差し替えの語句を探すには、辞典を使うことだ。

　類語辞典《シソーラス》は手当たり次第に集めた単語の束（a scattershot wad）を載せたものだから、辞典のほうがよほど役に立つ。ただし、類語辞典で引いた語句を辞典で確かめるというなら、それはそれでいいだろう。たとえば、wad（束）という単語が四角で囲まれているとしよう。ウェブスター辞典を見ると「クサノオウから得られる木綿、あるいは絹で、かつてはエジプトで生産され、ヨーロッパへ輸出された」とある。ふーん、そうか。まあ読み続けよう。「小さな塊、房、束……きっちり詰まったもの」ともある。これだ、当てはまるのは。こうした作業を、わたしは「最適語探し《モ・ジュスト》」と呼んでいる。最適語を頭の中で探しながら何日も庭を歩き回ったという、フローベルのエピソードを中学時代にバーソロミュー先生から聞いたことを思い出す。忘れられない話だ。あのとき、フローベルはすごいと思った。もっとも、ただの変人さ、と言っていた連中もクラスにはいたが。

　たとえばアチャファファラヤ川をテーマに書いたときも、言葉探しに苦心した。アチャファファラヤはルイジアナ州南部にある広大な河川湿原で、わたしは小型飛行機で上空から見たその景色を表現したかった。沈泥《シルト》が北から広がり陸地を広げていた。湿地は一部に、すでに埋まっているところがある。上空からそれがどこかがわかる。木々の間から見ると、水面からの太陽の反射光（reflection）が途切れるところがあるからだ――この反射光になんという単語を使おうかと、おなじみの縮約版ウェブスター辞典でsparkle（きらめき）を引いた。flash（閃光）を見よ、とある。そこでflashを引くと、意味に続いて類語が並んでいた――flash（閃光）、gleam（きらりとした光）、glance（一瞬の輝き）、glint（輝き）、sparkle（きらめき）、glitter（キラキラした輝き）、scintillate（火花を発する）、coruscate（光り輝く）、glimmer（かすかに光る）、shimmer（揺らめく光）はみな光を放つという意味を持つのだという。わたしはこの最後の部分が気に入ったので、原稿をこう書き直した。「太陽の反射光が水面から光を放ち、木々の間を走り抜ける」

　類語辞典は、言葉探しをするには便利な道具ではあるが、そこに載っている一つひとつの単語については何も説明してくれない。それに、類語辞典は危険な道具にもなりうる。単純明快な適語があるのに、類語辞典を引いたばかりに多音節で意味の曖昧な単語を選んでしまうことになりかねないからだ。そうすると、その作家は難しい単語をたくさん知っているように見えるだろう。しかし、類語辞典の価値はそんなことにあるのではない。作家はできるだけふさわしい言葉を見つけて、その言葉に任務を全うさせなければならないが、その手助けをすることに類語辞典の価値はある。執筆教室やジャーナリズム講座の教師は、よく類語辞典を松葉杖になぞらえて、気骨も能力もある作家なら、そんなものには頼らないとほのめかす。類語辞典は、せいぜい最適語《モ・ジュスト》探しの旅の途中の休憩所にすぎないといえるだろう。向かうべきは辞典である。たとえばintention（意向）という単語を例に見よう。

ほかにもっと適切な単語があるかもしれないと思えば、辞典を引き、類語のリストを見る——intention、intent、purpose、design、aim、end、object、objective、goalなどが載っている。だが、それだけではない。続けて辞典は、類語リストにある最後の語に至るまで、それぞれがほかの語とどう違うかを教えてくれる。辞典によっては、意味の違いの説明を抜いて類語をリストアップするだけのすっきりしたかたちもあるが、使うなら、前者のような辞典がいい。少しずつ意味の違う類語のリストは、ストライプ柄のオーニングのようなものだ。グリーンのストライプはそれぞれ微妙に色合いが違う。たとえば、verticalを引いてみよう。驚くなかれ、そこにはverticalとperpendicularとplumbは、それぞれほかの二つとは違う意味を持つと書いてある。同じく、plastic、pliable、pliant、ductile、malleable、adaptableの違いについても、またfidelity、allegiance、fealty、loyalty、devotion、pietyについても、辞典には説明が載っている。

わたしは若いころよく北部の湖や森の川でカヌーを漕いだ。三〇年経った今、わたしはある言葉、あるいは語句を見つけようとしている。現代国家の人間がなぜ、わざわざカヌーを漕いで長距離を旅したいと思うのかを説明する言葉を見つけたいのだ。それを「スポーツ」と呼ぶなど、とんでもないと思ったが、ほかに適当な語は思いつかない。「スポーツ」を辞書で引いた。延々と一七行にわたって定義が載っている「①気晴らしになるもの、楽しくなるもの・娯楽、気晴らし。②野外の遊び……」と続く。わかった、ここでやめておこう。

彼が公言している目的は、気楽に、野生動物でも見ながら、自分の作ったバークカヌーで身軽に旅をすることだった。他には何もない。そして我々は彼のやり方に従うほかなかった。私は、かなりの未開地をカヌーで旅する場合でも、折り畳み式ベッド、羽毛枕、チェーンソー、船外モーター、ビールを何ダースか、それに電池式のポータブル冷蔵庫を持っていった人々を知っている。どんな旅にするかは、一人一人が自分で決めれば良いのだ。カヌーの旅は必要不可欠なものではないし、ある地域から別の地域へ行くのに（一つの湖から別の湖に行く場合も同じだ）決して最高のやり方とは言えない。カヌーの旅はある地域と一体になる儀式であり、野外の遊びでもある。つまり必要だからではなく、行為そのものに価値があるから人はカヌーで旅をするのだ。

（中川美和子訳）

原野を長く旅していると、その間に一時的にせよ、人は変化する。アラスカ北極圏の川の流域をテーマに書いたとき、わたしはこの心的な変化を描き出そうとしていた。そこで、この変化の概念を表し、記事のテーマに触媒作用を及ぼす言葉を探したのだった。すぐに思いついたのが assimilate（同化する）だ。だが、この文脈では「スポーツ」よりまずいんじゃないか。辞典で assimilate を引く。「①同様に、あるいは似たものにする。②喩える、対照する。③ある特定のものの本質を……取り入れる」。そこでわたしはこう書いた。

あと一時間ばかり火のまわりに座って、雨、チョウゲンボウ、石油、枝角、川の高度、源流などについて話しあったが、ヘッションもフェデラーも熊についてはひとことも触れなかった。

私は寝袋に入って目を閉じると、山腹にいるあの熊の姿が色鮮やかに浮かぶ。その光景は忘れることができない。しかし恐怖は残っていなかった。いやそれどころか、まずフェデラーとヘッションについて川を遡って山に入っていくことにしたのはまったく幸運だった、という気がした。長い午後のあの全行程であの一瞬ほど鮮やかに心に残ったものはない。熊がいる壮大な光景。ここはまさに彼の国なんだ。そこに居合わせたということは、たとえどんなに少しでも彼の国の真髄に触れたことになる。もし彼の国を訪れたいのなら自分でその扉をたたくがよいのだ。

（越智道雄訳）

後から気づいて大いに後悔したことが一つある。アラスカを旅し、調査し、記事を書いた三年間というもの、「北極圏《アークティック》」という語の由来を考えもしなかったことだ。疑問に思ったのは、『アラスカ原野行』が刊行されて数年も経ってからである。執筆中にちょっと辞典を引きさえしたら、その由来について、記事で必ず言及していたはずだ。「アークティック」は「大熊座と呼ばれる北天の星座に関する、あるいはその下に位置する……」と定義されている。

*

「不規則な制限的関係詞which」のことを初めてわたしに教えてくれたのは、ウィリアム・ショーン編集長であった。その説明によると、制限的関係節は、通常はthatという関係詞に導かれるが、ごくまれに、ある特定の状況のもとではwhichが使われるという。非制限的用法の例を挙げよう。「これは野球ボールで、球形をしており白い（This is a baseball, which is spherical and white.）」。次は制限的用法の例だ。「これはシカゴでベーブ・ルースがフェンスを指し示すジェスチャーをしてから打ち、場外へ飛ばした野球ボールだ（This is the baseball that Babe Ruth hit out of the park after pointing at the fence in Chicago.）」。前者のボールは特定されていない。こうした文は、もし書き手が形や色を述べたい場合はコンマ（,）が必要だ。後者のボールはきわめて特定的で、こうした文はコンマを寄せつけない。しかし、特定されるものとその特定性を述べる節の間に単語や語句が置かれることがあり、その場合は「不規則な制限的関係詞 which」が求められる。

関係詞にまつわるこうした思い出が懐しいとは到底言えないが、それでもわたしは拙著のうち二作の全文をコンピュータで調べ、「不規則な制限的関係詞 which」を探してみた。およそ一〇万語以上の中から三つの which が見つかった。

一八二二年、フランス政府の仕事をしていたベルギーの地層学者J・J・オマリウス・ダロアはヨーロッパの白亜にやがて地質時代区分の奇妙な一区分を表すことになる名前をつけた。(...put a name on the chalk of Europe which would come to represent...)

オークモント・カントリークラブは、独自に開発した特殊なスズメノカタビラを使っている。種をほとんどつけない種類なので、これを使うと、ゴルファーたちがよく言う「つぶつぶが少ない」芝面が得られる。(...uses Poa annua of its own creation which bears few seeds...)

ドミニーは、アメリカ内務省の一機関であり、グレンキャニオン・ダム、グランドクーリー・ダム、フレイミング・ゴージ・ダム、フーヴァー・ダムなどといった建造物の後背三〇〇キロにわたって水をためている土地改良局の長官に上り詰めた。(...U. S. Commissioner of Reclamation, the agency in the Department of the Interior which impounds water...)

偶然だが、これらはショーン時代の記事からではなく、すべて二十一世紀に発行された記事からの抜粋である。つまり、『ニューヨーカー』誌は「不規則な制限的関係詞 which」も、そんなものがよく飛び出す状況も、決して忘れてはいなかった。

ちなみに、わたしはこれらの拙著でソローとレビ記から引用しているが、どちらも関係詞の使い方が難しく、ショーン編集長なら眉をひそめただろうと思われる箇所がある。ショーン編集長への敬意を込めてここに記しておく。

州境の橋から四〇〇ヤードほど上がっていくと、カルタジナ島が静水池に浮かんでいた。ソローはこの島の名前こそ書いていないが、「木々で密に覆われた大きな島、頂のニレの林が美しい。……わたしたちが出会ったなかでもっとも魅力的な島（the fairest which we had met with）……」と描写している。

ここで which を使わなくてもいいんじゃないですか、ソローさん。出会われたなかでもっとも魅力的な島（the fairest island that you met with）だったんですね。

レビ記「主はモーセとアロンに告げられた。イスラエルの人々に告げなさい。地に住むすべての動物のうち、あなたがたが食べてよい生き物は次のとおりである（These are the beasts which ye shall eat among all the beasts that are on the earth.)」

実のところ、慣用法と文法の殿堂においては、ショーン編集長は下っ端役人にすぎなかった。殿堂に主として半世紀以上も君臨したのは、エレノア・グールド（ミセス・パッカード）である。ミス・グールドの評判は隅々まで広まり、見習いライターの意識の中にさえ浸透していた。ヴァッサー大学出だという二十二歳のエレノア・グールドのエピソードをわたしが初めて耳にするか読んだかしたのは、十八歳になったばかりで、すでに出版社から次々と断り状を受け取っていたころだ。それによると、一九二五年、グールドは『ニューヨーカー』誌の創刊号を買い、それを読み、さらにもう一度、今度は青ペンを片手に読んだ。読み終えたときは、雑誌の全ページのあちこちに青い印が付いていた。何を修飾しているのかわからない修飾語、矛盾する代名詞、コンマの欠如、全般的な文法上の問題などがすべて○で囲まれていたのである。グールドはこの雑誌を創刊者で編集長のハロルド・ロスに郵送した。受け取ったロスは怒鳴ったという。「すぐにこの女を見つけて、入社させろ！」

実際は、ロスが『ニューヨーカー』誌を創刊したとき、エレノア・グールドは九歳だった。オハイオ州で育ち、オーバリン大学に入り、一九三八年に卒業した。その七年後、『ニューヨーカー』誌で仕事がしたいと、自分ができると思うことを書いて提出した——たとえば、「……と違う」と表現したい場合、different from と言い、different than とは言わない、など。グールドを入社させたのはショーン編集長だった。その後の五四年間にわたりグールドが成し遂げた仕事を、簡潔に一つの単語で表すことは難しい。グールドは編集者ではなかった。少なくとも、執筆者にあれこれ助言するようなレベルの編集者ではなかった。事実確認者でもなかったが、疑わしいと感じたことは容赦なく指摘した。グールドの仕事とは、記事のゲラを読み、印を付けていくことだったと言えよう。ゲラの各ページは、中央の囲み記事の両側にたっぷりと（車を止められるほどの）余白が設けてあった。この余白にグールドはびっしりと書き込みを入れた。語の用法、言葉遣い、くどい言い回し、語の選択、句読点、曖昧さなどがすべて指摘された。グールドが読み終えたゲラは執筆者担当の編集者に回る。編集者は余白の書き込みの中からいくつか選び出してから執筆者に相談する。あるいは「グールド・ゲラ」と呼ばれるようになったゲラをそのまま執筆者に渡し、執筆者に判断させることもあった。ロバート・ビンガムはいつも「グールド・ゲラ」をわたしに回し、「彼女が『文法』と指摘したところは、気を入れてやってください」と言うのだった。

グールドはいろいろなことに気がついたが、ノンフィクションの場合、もっとも気にしたのは回りくどい表現だった。事実を横へそっと動かし、読者に情報を（与えるのではなく）集めさせてはいけない、というわけだ。雰囲気を重視する小説家ならこんなふうに書き出すかもしれない。「ラヴァーズ通りのその家は、恋人たち《ラヴァーズ》が愛《ラヴ》を交わすところだった」。「グールド・ゲラ」にはこんな書き込みが入るだろう——「どの家?」「どの恋人たち?」「ラヴァーズ通りとはどこ?」。つまり、もし何かを紹介するなら、きちんと紹介せよ、ということだ。やたらに定冠詞を使って文学的表現にしてはいけない。執筆者が「一軒の家（a house）」と書けば、それは家を紹介している。「その家（the house）」と書けば、その家は以前に紹介されており、読者がすでに知っている家のことである。ショーン編集長はミス・グールドから（その逆よりもはるかに大きな）影響を受けていて、回りくどい表現を決して見逃さなかった。

グールドが出した修正提案が、いつもかけはぎ程度で済んだわけではない。かんかんに怒る執筆者もいた。とはいえ、執筆者は、文の修正を強いられはしなかった。ミス・グールドのもっともな指摘を読んで、「そうだった」とおでこに手をやり、感謝するのではなく、そんなものは無視してしまおうと決めるなら、それはその執筆者の自由だった。記事には執筆者の名前が入るのだから、執筆者が文中のシミを残しておきたいと言えば、シミは残った。「グールド・ゲラ」は記事の構成やテーマには、めったに立ち入らなかった。そのためのゲラではなかったからだ。このゲラは、ミス・グールドによれば、執筆者がもっとも明快なやり方で目的を遂げられるように手を貸すためのものであった。これだけは言っておきたい。ミス・グールドは執筆者をしゃんとさせる人だった。執筆者は彼女の修正案を受け入れなくてもよかったし、もちろん自分の考えでその案をさらに修正することもできたのだ。

　これらの作業——グールド式校正から出版社独自の用字用語ルール《ハウス・スタイル》の適用まですべて——をひっくるめて、「校閲《コピーエディティング》」と呼ぶことが多い。ミス・グールドは数十年にわたり「文法学者」の称号を奉られていたとはいえ、彼女が誌面を読んで反応する際の文法はほんの一部にすぎなかった。ハウス・スタイルは、ミス・グールドがゲラを目にする前に、担当の誰かがチェックしていた。このハウス・スタイルというのは、雑誌全体を、まるで一人の作家が書いたような調子にまとめることではなく、綴りやイタリック体の使用などのルールを、機械的に当てはめていくことだ。たとえば、『ニューヨーカー』誌ではtravellingには二つの「l」を使う。雑誌名はイタリック体で表す。誌名に所有格の「s」が入れば——*TV Guide's*や*National Geographic's*など——その「s」もイタリック体にする。船名はイタリック体にしない。また、社のスタイルとして、音節の区切りの軽視（deëmphasizing）に加担（coöperate）しないという方針のもと、同じ母音が連続する場合、二つ目の母音の上に二つのドットを付けるというルールがある。『ニューヨーク・タイムズ』紙はといえば、記事で言及される人物の名前の前にはすべてMr.かMs.かMrs.を付ける（大統領、上院議員、元帥、枢機卿など高位の称号を持つ人は別だが）。また、『タイムズ』記者が、たとえばチュクチ海で先住民のカヤックに乗せてもらったとすれば、その船に乗ったのは「ある訪問者」であり、人称代名詞では絶対にない。『シカゴ・マニュアル・オブ・スタイル』は、新聞社や雑誌社、書籍出版社《パブリッシャー》からブログ作者《ブロギッシャー》まで、アメリカ国内のすべての出版業者に画一的なスタイルを押しつけようとする無謀な試みである。

校閲者は文の流れを見守り、漏れ穴がないかどうか気を配る。エレノア・グールドは、さまざまな職名で呼ばれたにせよ、まずもって校閲者《コピーエディター》であった。やがて遺産となる一つの伝統が作られつつあったが、グールドはその担い手の一人となった。今日、『ニューヨーカー』誌の毎号は、ゲラの段階で何回もあらゆる角度から読まれたうえで発行される。現在、五人いる校閲者は、自分たちの仕事をいろいろな名で呼んでいる――校閲者、ページ確認係、疑問点整理係、第二の読者など。五人のそれぞれが、これら四つの仕事をするから、五台のデスクで二〇種類の業務というわけである。五人はみな、エレノア・グールドがしていた仕事をする。そして校閲が終わると、そのゲラは「グールド済みになった」と言う。今日の校閲者がグールドの影響下にあるとしたら、彼らはさらにその遺産を次の時代に引き継ぐ役目を負っている。

校閲者は凡人とは違う読み方をする。「彼女は、一緒に旅行していた五人のほかの人たち（other five people）がどうなったのか知らない」という文を例に見よう。彼女は一緒に旅行していた一一人の一人ということもあり得るが、書き手はそのつもりで書いたのか、と校閲者なら問うだろう。たしかに、つまらぬあら探しかもしれない。だが、より正確に書けば力強い文になる。「彼女は、一緒に旅行していたほかの五人（five other people）がどうなったか知らない」

もう少し考えてみよう。further と farther はどう違うのか。辞典で further を引くと farther とある。そこで farther を引くと further とある。それなら、安心していいのか、どっちをどう使っても構わないのか。だが二つの間には違いが存在し、「ページ確認係」たちは、何を確認すべきか知っている。farther は計測可能な距離に関する語であり、further は程度に関する語である——人のことバカにして笑うの、やめろよ。もうたくさんだ。これ以上（further）は許さんぞ。

校正や問題点の指摘から校閲まで何でもこなし、文法を振りかざすこの多才多能な部隊に、本気で立ち向かうのは至難の業だ。わたしは五〇年間に二度、これをやったことがある。その一つは、ここで詳しく語るつもりはないが、わたしがうっかり括弧でくくって本文中に入れた学術書からの引用（Mourt, 1622）をめぐる問題だった。この場合、学者たちが参考文献リストと呼ぶものに、引用元が載っていなかった、いや、引用文献リストがなかったのだ。いま一つは一九八七年二月二十三日号の記事に関するもので、Corps（部隊《コーア》）という語の所有格をめぐる問題だった。わたしが取り組んでいたのは、ルイジアナ南部のアチャファラヤ川や広大な沼地とそこでアメリカ陸軍工兵部隊が管理する土手や放水路や水門についての、長さがおよそ二万語の記事だった。想像できるように、この記事には全体に Corps という語が、まるで麻疹の発疹みたいに広がっていて、その多くが所有格だった。わたしは中学生のときバーソロミュー先生から、「s」で終わる名詞の場合、最後にアポストロフィ（’）だけを付けた形も、「アポストロフィ（’）にもう一つの s」を付けた形も、どちらも所有格と見なされると教わった。書き手次第だ、と。さて、ルイジアナの記事で、わたしは Corps（部隊）の所有格をすべて Corps’ と書いたが、校閲部は Corps’s にすべきだと言う。でも、それでは corpse（遺体）の複数形みたいだ。まるで死体安置所にいるような気分になるよ、とわたしは言った。すると検閲部は方陣を組んだ。一致団結した校閲部対わたし一人という構図だ。『ニューヨーカー』誌は、最後の「s」にアポストロフィだけを付ける「裸のs」の形を、イエス（Jesus）、アイスキュロス（Aeschylus）、ソクラテス（Socrates）といった超有名人のわずかな例を除けば、使ったことがないという。フランス語の無音「s」で終わる名詞にさえ、「's」を付けていた――Francois's（フランソワの）、les jeunesses's（青年たちの）、Epesses's（エペスの）、あるいはAmiens's（アミアンの）の秘宝やle francais's（そのフランス人の）率直な口髭といった具合だ。Corps'sに関して、校閲部はいつになく頑なだった。わたしのほうも、どうしてもそんな形にしなければならないなら、これ以上書き進むのをやめて、Corpsに所有を表す「s」がついている箇所をすべて書き直すと言い張った。そんな形を使わなくてもいい文に修正する、つまり「corpses《コープセス》（死体）なんか、なくなってしまえ」と。たしかに、あのときわたしは、「遺体安置台の上の仰臥体」だの、「そんな所有格はみんな死体につながってるんだ」だのとまくし立てたと思う。そんな脅しはまったく説得力がなかったが、やがてすばらしいアイディアが生まれた。陸軍工兵部隊に電話して、部隊が自分たちの所有格をどう書いているか訊いてみればい い、と誰かが言い出したのだ。いや、まったくの話、陸軍工兵部隊が『ファウラーズ現代英語用法辞典』やメリアム・ウェブスターの比類なき『英語用法辞典』や文法の融通性の研究に詳しいとは知らなかった。部隊に問い合わせると、Corps'と書きますとの返事が来た。Corps'sと、「s」を二つ書くことは決してありません、と。

校閲者が他人の領域に迷い込むことはめったにない。ただ、迷い込んだとしても、その助言やコメントが迷惑がられることはなかった。『ニューヨーカー』に一九七八年に入ったメアリ・ノリスは、わたしの記事を数えきれないほどたくさん校閲してくれた。どんな分野の記事であれ、彼女は頼れる診断医で、わたしは初めから、あるいはセカンドオピニオンまたはサードオピニオンを求めて、よく彼女に相談した。周りから「ペンシルレディ」と呼ばれても、一向に気にしなかった。『ニューヨーカー』誌のウェブサイトで、主に校閲の作業を話題にブログを書き始め、それがベストセラーになった『ここだけの話――コンマの女王の告白（*Between You & Me: Confessions of a Comma Queen*）』（Norton, 2015）という本だ。二〇〇三年、ノリスとわたしは、ソローとその兄のジョンによる一八三九年の川紀行をたどった記事と取り組んだ。コンコード川からメリマック川へと出て、さらにメリマック川を上り、ニューハンプシャー州マンチェスターを通り過ぎる旅であった。原稿と初稿ゲラには（いささか文脈から外れた）こんな一文が入っていた。

この三、四カ月というもの、夜ベッドに入ると、マンチェスターの人たち（Manchesterians／マンチェスタリアンズ）が、悪戦苦闘してカヌーを漕ぐわたしたちを見て笑う声が聞こえてくるのだった。

ゲラは「マンチェスタリアンズ（Manchesterians）ではなくマンクニアンズ（Mancunians）にしますか」というメアリ・ノリスのコメントが付いて戻ってきた。まったく、このコメントはレアものの金貨も同然だった。その五年後、イギリスのマンチェスターでラクロスの記事を書くことになったわたしは、「マンクニアン」という語を使いまくった。短い一節に三回も入れただろうか。マンクニアンはある地域の住民の呼び方としては、わたしが知る限り二番目に優れた呼称だ。ヴァリソレタノ（Vallisoletano／バリャドリッドの人）にも引けを取らないくらいだ。言うまでもなく、この地球は地域住民を表すさまざまな呼称で溢れ返っている。メアリ・ノリスとわたしは、こうした呼称のリスト作りに取りかかった。わたしたち二人の主観に基づく厳選リストだ。マンクニアンとヴァリソレタノに始まるリストには、(今のところ)三五地域の住民が並んでいる。たとえば、ウルフルニアン(Wulfrunian／ウルヴァーハンプトンの人)、ノヴォカストリアン(Novocastrian／ニューカッスルの人)、トライフルヴィアン(Trifluvian／トロワリヴィエールの人)、レオデンシアン(Leodensian／リーズの人)、ミネアポリタン(Minneapolitan／ミネアポリスの人)、ハートルプドリアン(Hartlepudlian／ハートルプールの人)、リヴァープドリアン(Liverpudlian／説明の必要はないだろう)、ハリゴニアン(Haligonian／ハリファックスの人)、ヴァーソヴィアン(Varsovian／ワルシャワの人)、プロヴィデンシアン(Providentian／プロヴィデンスの人)、トライデンティン(Tridentine／トレントの人)などだ。

＊

校閲者を気取るのも悪くないものだ。わたしは教室の学生たちの編集人として、提出された作文を作者と一緒に、文中のコンマの一つひとつまでを見ていく。わたしが学生たちに教えることの大部分は、『ニューヨーカー』誌の校閲担当者たちから――そして、言うまでもなくプリンストン・ジュニア・ハイスクールのバーソロミュー先生やファラー・ストラウス・アンド・ジルー社(FSG)のカルメン・ゴメスプラタから――少しずつ吸収してきたものだ。この業界の専門用語を少しかじった学生は、友だちの作文を校閲したりすることがある。それで悶着が起きると、わたしが仲裁を頼まれる。わたしはストランク大先生じゃない。普段は書いたものを編集してもらう身なんだ。だが、できることはしなくちゃならない。たとえば最近、二人の学生がもめたことがある。原因は、なんと

attorney general（司法長官）の複数形所有格の扱いだという。わたし宛にこんな質問のメールが来た。もし、複数の attorney general が車を何台か持っていることを書くとすれば、所有格の「s」を、次の文のどの（　）に、どのように入れれば（または、まったく入れなくても）いいですか――駐車場に attorney( ) general( ) car( ) が並んでいた。

ウェブスター第三版とランダムハウスのどちらの辞典も、attorney general の複数形は attorneys general と attorney generals の両方だとはっきり言っている。了解だ。そこでわたしは法服をまとい、小槌を叩き、こう言い渡す。「これら複数形の二つの形が同等であると認めたうえで、attorneys general's cars ではなく、attorney generals' cars と書くことをお勧めする。理由は言わずもがなだろう（見かけと言葉の響きを、どこかで考慮に入れるのは作家の常識だ）」と。わたしならどう書くかって？　先に挙げたどちらも使わず、the cars of the attorneys general とするだろう。だが、これは好みの問題だ。

大学構内の建物の屋上にある中世風塔《タレット》の中に、わたしの仕事場はある。外に出て歩き回ると、よく人に会い、たいていは「いま何を書いておられるんですか」と訊かれる。これが、わたしがあまり外に出て歩き回らない理由の一つだ。そう訊かれて答えるときはいつも、言葉を覚えたオウムになった気がする。第一稿を書いている最中なら、特段に気難しいオウムになる。二、三年前になるが、わたしは一語で済ませられる幸運に恵まれた。

「何を書いておられるんですか」

「チョーク」

「チョーク？」

「チョーク」

これでよし。ほんの一音節で済むなら、それに越したことはない。

だが、そんな質問を自分の娘の一人が書いて送ってきたとなると、一音節で済ませるわけにはいかない。たとえば、ジェニーだ。アルフレッド・A・クノップ社で編集の仕事をしていたジェニーは、いま何を書いているのかと、何気なくわたしに訊き、こんな返事を受け取ることになった。「親愛なるジェニー、わたしがいま何を書いているかって？ 進捗具合はどうかって？ 訊かれたから言うけど、今のところ、この記事にひとかけらの自信も持てない。この記事は、たぶんやるべきじゃないことを、いろいろやろうとしているんだ。臨場感を出すために現在形を使おうとする。だが、それで時の把握が二重になって、動詞の時制が損なわれては困るんだ。この記事は物語をあべこべに語る。たぶん、この記事に出てくる船と同じで、船殻にひびが入っているんだろう。しかも、これはやっと書き始めたばかり。四カ月と九日、モニターとにらめっこをした挙げ句にこの始末だ。合わせればおよそ一〇〇〇時間近くになる。もうたくさんだ！ だから、これからちょっと釣りに行ってくるよ」

省略

一九五〇年代の『タイム』誌で新入りのライターに回される仕事といえば、「ミセレニー」と呼ばれる雑報欄の記事だった。新聞や通信社の情報から選りすぐったニュースを一風変わった一文で伝えるこの欄は、一ページの縦三分の一分ほどを占め、それぞれタイトルのついた小話が階段状に並んでいた。タイトルには昔からいつも駄洒落が使われた。この仕事を長く続けるライターはいなかった。ずっと続けることを期待されてもいなかった。ところが、わたしの後ろで採用の門戸が閉ざされてしまい、わたしは結局一年半も「ミセレニー」を書き続けることになった。ワンセンテンスの小話を約一〇〇〇回、つまり駄洒落を一〇〇〇回書いたわけである。

ここでその例を、一つだけここに紹介しよう。デトロイト市内の道路で自転車を漕いでいたある人が、ハンドルバーにもたれて眠ってしまった。この話題にわたしは〔「疲れすぎ」を意味するtoo tiredをもじって〕「トゥー・タイアード（Two Tired／二輪車）」という見出しをつけた。

数十年も駄洒落抜きの文章を書き続けた後なら、「ミセレニー」は駆け出し時代のいい経験だったと言えるだろう。言葉ほど簡単にいじり回せるものはない。一九六五年に『ニューヨーカー』誌に移ったとき、わたしは駄洒落と決別した。そしてそれ以降、駄洒落を使ったことがない、とは言えない。一九七〇年代、わたしはあるくだらない――思い出せないほど悪趣味な――駄洒落の入った記事を書いた。当時わたしを担当していた編集者ロバート・ビンガムは、ひと言こう言った。「これは省きましょうよ」

その後に続いたやりとりは、ビンガムの懐かしい思い出として残っている。

わたし「ときには駄洒落を入れても、いや、ちょっとくらい品を落としたっていいじゃないですか」。ビンガム「いや、この一文はほかの部分とレベルが違う。だから場違いな感じがするんです」。わたし「たしかにそうかもしれない、でも、そこに入れたいんです」。ビンガム「わかりました。執筆者はあなたですから」。その翌日、ビンガムはこう言ってきた。「あの件ですが、わたしの意見は変わっていないってことを、ちょっとお知らせしたくてね。あれは残念な一文です」。わたし「あのね、もう決めたことですよね。あれは滑稽な一文です。わたしはあれを使いたい。もしそれで恥をかくとしたら、それは誰あろう、このわたしなんですから」。ビンガム「わかりました。わたしはただ、仕事だから申し上げているんです」。その次の日、わたしはビンガムのオフィスに行ってこう言った。「あのジョークですけど、省きましょう。入れないほうがいい」。「わかりました」とビンガムは言った。その瞳に勝利の輝きはみじんも感じられなかった。

ウィリアム・ショーン編集長は、わたしが提出した初めの二本の記事を自ら編集し、その後ビンガムをわたしの担当にした。ビンガムは編集長を務めていた『ザ・レポーター』から『ニューヨーカー』に移ってきたばかりだった。当時、わたしは家から社に通っていたものの、仕事の大部分を自宅でこなしていた。だから、ショーン編集長が四万語のわたしの記事「オレンジ（Oranges）」をビンガムに託したとき、わたしはビンガムに会ったことも、見かけたことも、そんな人が社にいると聞いたこともなかった。

ノンフィクションの題材として、オレンジはどうでしょうと、わたしがショーン編集長に相談したのは、その一年前のことだった。「ああ、そう」。編集長は、そのやさしい、しっかりした声で言った。それだけだった。だが、それで十分だ。「スタッフライター」として、基本的には無給のフリーランス・ライターだったわたしは、その後間もなくフロリダへ飛んだ。費用は編集長にお任せだ。なぜオレンジをテーマに選んだかって？　ペンシルヴェニア駅にフレッシュ・オレンジジュースを作る機械があって、わたしはいつもきまってそこに立ち寄っていたからだ。塩舐《な》め場にやってくる動物みたいなものだ。冬の数カ月間に、わたしはジュースの色が変わり、だんだん濃くなっていくのに気づいた。それに、どこかで見た広告では、見た目はまったく違いのない四個のオレンジに別々の名前がついていた。なぜだろう。これを突き止め、記事にするのがフロリダ取材の目的であった。おそらく『ニューヨーカー』誌の基準からすれば短い——一万語以下の——ノンフィクションになるだろう。

ところが、である。フロリダに入ったわたしは、ポーク郡レーク・アルフレッド市で、フロリダ大学シトラス実験所を見つけたのである。広大な果樹園に囲まれ、五棟のビルから成る施設で、オレンジ研究の博士号を持つ数十人が働いていた。また、そこには数十万点の文献を収めたシトラス図書館もあった。主に科学論文や博士論文、それに図書六〇〇〇点がそろっている。まさにそこ、その時点でわたしの記事は大きく膨らんだ。家に帰って数カ月後、原稿を提出した。ショーン編集長は、印刷する前に少しばかり絞り込みが必要になるかもしれないとほのめかしながら、原稿を受け取った。

編集長はビンガムに、原稿からは適当な長さの記事になるだけの情報を探し出し、残りは捨てるようにと指示したようだ。それにしても、ニュージャージーの自宅で戻し原稿を受け取ったわたしは、ショックを受けた。大きな封筒に入っていたが、厚みといえば葉書きほど。ビンガムの要約にざっと目を通してから、わたしは社に電話を入れて編集長に会いたいと申し入れ、電車に乗り、市内へ入った。ショーン編集長はわたしよりも背が低い、つまり、かなり小柄な人だ。ところが、編集長室を幾重にも取り囲む濠を越えて御前に進み出たわたしは、威厳に満ち、近寄りがたい君主とデスクを挟んで対峙することになった。情けないことだが、わたしはしどろもどろにこう訴えた。「ミスター・ビンガムが、わたしの書いたものの八五パーセントを削ってしまいました」

ショーン編集長（信じられないといったふうに、無邪気に目を丸くして）「本当ですか？」

わたしはそうだと答えた。

ミスター・ビンガムと会って話し合うことですね、と編集長は言った。わたしがお膳立てしましょう、とも。わたしは秘書のメアリ・ペインター――編集長室を守るおとなしい地獄の番犬《サーベラス》だ――からの連絡を待つことになった。

五日後、わたしはビンガムと会うために出かけていった。ペンシルヴェニア駅でオレンジジュースを飲みながら、「あの野郎」とビンガムを憎んだことを覚えている。フロリダのオレンジ濃縮工場には「簡易抽出機」と呼ばれるFMC社製の機械があったが、ビンガムはまるで簡易抽出器だ、これからはずっと、そんなあだ名で呼んでやるぞ。社内のわたしの仕事場（ずらりと並んだライター用小部屋の一つだ。そんな狭い仕事スペースを、怪伝説に引っかけて「スリーピー・ホロー」などと呼ぶ人もいた）に、蝶ネクタイを揺らしながらに入ってきたビンガムは、感じのいい、ハンサムな男だった。きらりと光る青い目、明るい茶色のカーリーヘア、そして誠実な口髭——誰にでもすぐに好かれるタイプである。こんな状況で初対面なんて、残念でならない。「この話し合いをどう始めたらいいものか、迷っているんです」と、ビンガムは口を切った。「お返ししたゲラを土台に、付け加えていただくか、それとも元原稿に戻って削れるところを話し合うか、どちらがよろしいですか」

それから五日間、ビンガムと話し合った。原稿は、二号にわたって連載できるほどまでに回復されたが、すべてが元どおりになったわけではない。シトラス（ミカン属）はまずシトラスであり、ヴァレンシア・スウィート・オレンジやワシントン・ネーブル・オレンジはそのなかの一種だ。シトラスのセックスライフは驚異的だ。ライムの種を植えたらキンカンが生えてきた、なんてこともある。同じ確率で、ダイダイやラフレモンやタンジェリンが生えることもある。こうした現象をすべて説明したのが、『タヒチライムの種子間の性質の相違』というタイトルの科学論文だった（どこかの家の七〇〇ページに及ぶ家族史にもおあつらえ向きのタイトルだろう）。わたしの記事があれほど膨大になった原因の一つは、あるテーマから関連のある別のテーマへと広がるこの論文にあった。

執筆は選択である。ある記事を書き始めるには、単語を一つ選ばなければならない。一〇〇万語の中からたった一語を選ぶ。そして、それを続ける。次にどの単語を選ぶ？　次の文は？　次の段落、節、章は？　次に語るべきはどの事実？　記事に何を入れ、何を入れないかを書き手は決めていくが、その際の基本的な判断基準はたった一つしかない。自分が面白いと思うものは入れ、そうでないものは入れない。物事を評価するには、これはちょっと乱暴なやり方ではないか。だが、それしかないのである。売れ行きのことは忘れていい。自分の書くものの売れ行きなど、気にしてはいけない。書けなくなったり、また書き始めたり、躊躇したりといった、書く過程で持ち上がるさまざまな障害を経ても、なお面白いと思えることを取り上げるべきである。

理想を言えば、記事はその書き手が選んだ題材が支えられるだけの――それ以上でも以下でもない――長さになるべきだ。わたしの作品の場合、『ニューヨーカー』誌の「街の噂」欄に載せるために取材を始めたが、結局は長編になったものが（大部分ではないにしろ）多い。一九七〇年代、実験航空機の試験飛行を取材し、一〇〇〇〇語程度にまとめようとしたことがある。だが、その後試験飛行は何回も行われ、かたちも変わり、何年も続けられることになった。次々とさまざまな人物とかかわることになり、記事はまるでドラマの筋立てのような構成になった。書き上げた記事は五万五〇〇〇語にもなり、三号にわたって連載された。その七年前に手がけた「オレンジ」も同じような過程をたどったが、当時わたしの選択能力はまだ成長過程にあった。ビンガムは（ショーン編集長に、わたしたちは筋の通ったことをしているのだと報告しながら）原稿から削った部分の一部を戻し入れたが、それでも本文のかなりの部分をそのまま外しておいた。雑誌の目的からいえばそれが正しいことは、このわたしでさえ理解できた。数カ月後、この記事は本として出版されることになり、その準備をしていたわたしは、ほかにも戻すべき部分があるか、戻してはいけない部分はどれかを選ぶので知恵を貸してくれないかと、親友になっていたビンガムに頼んだ。要するに、わたしはシトラス実験所の図書館に――シトラス科学者や栽培者や巨大なジュース濃縮会社は言うに及ばず――すっかり魅せられてしまい、削ることの強みを見失っていたのだった。

＊

一九九七年全米批評家協会賞に輝いた『モン族の少女とアメリカの医療システム（*The Spirit Catches You and You Fall Down: A Hmong Child, Her American Doctors, and the Collision of Two Cultures*）』は、ノンフィクションの潜在的可能性を立派に証明した作品である。その著者で、イェール大学で教鞭を執っているアン・ファディマンが、数年前わたしを含めて知り合いの作家たちにメールを送り、自分の学生が質問を（一つだけ）送ったら、答えてもらえまいかと依頼してきた。わたしが、そんな頼みを断れるはずはない。それ以降、わたしはファディマンの学生たちに返事を書き続けている。たとえば、ミナミ・フナコシは拙著『パインバレンズ森林地帯（*The Pine Barrens*）』とそこに出てくるタール紙の小屋に住んでいる人たちについてコメントをくれた。「あの作品では、フレッドやビルの考えや人となりを表す言葉をたくさん引用しておられます。わたしが好きなのは『さあ、さあ、《カム・イン》入った、入った、《カム・イン》ずんずん入ってくれよ《カム・オン・ザ・ヘル・イン》』とか『今年は壁紙を張らなかった。……このところ、何カ月かは鼻詰まりがひどいんだ』というところです。そこでお訊きしたいのですが、人の言葉を聞いたら、すぐにこれが記事に使えるかどうか、わかるものですか。それとも普通は、取材中に書きとめたメモの中から使えるものを探し出されるのですか」

親愛なるミナミ君――作家として、執筆講座の教師として過ごした長い年月の間に、わたしは取材や執筆過程について山ほどの質問を受けてきました。でも、あなたの質問のような基本的なことについて訊かれたのは初めてです。一瞬も考えることなく、お答えできますよ。記事に入れたい語句を耳にすれば、その瞬間にわかります。……インタビューをするとき、わたしは書いて、書いて書きまくります。受けた印象、観察したこと、情報や人との会話を書きとめるのですが、何も考えずに書いているわけじゃない。ものを書くということは選択です。冒頭の文の最初の単語から、書き手は選択し、選び出し、（これがいちばん重要ですが）何を入れないかを決めるのです。大ざっぱで、効率的とは言えないやり方かもしれないが、インタビューのノート取りとはそういうものです。つまり、これから書く記事に使える可能性がほんのわずかでもあると思えば、何でもすべて書きとめるのです。わたしの仕事は実地学習だ。つまりどんな記事になるか、初めはわかりません。だから、結局使うことになる一〇倍もの情報をすくい上げてメモに書きとめるのです。だが、フレッド・ブラウンが「さあ、さあ《カム・イン》、入った、入った《カム・イン》、ずんずん入ってくれよ《カム・オン・ザ・ヘル・イン》」と言ったとき、わたしはすぐに中へ入って、腰を下ろし、ノートに書きとめました。ノストラダムスじゃなくたって、これが記事に使えることはわかります。同様に、壁紙張りや鼻詰まり云々も、使わないわけにはいかないのはわかっていました。ノンフィクションの執筆は宝探しのようなものです。金塊に巡り合えば、すぐにそれと気づきますよ。金塊はたいてい冒頭や結末に、ときにはタイトルにさえ使えます。アラスカの内陸地では、新入りの住民は「ザ・カントリー入りした（came into the country）」時期、つまり、いつその地域にやってきたかという観点から、自分たちを表現することが多い。この言い回しは、まるで連禱のように繰り返し使われていました。そういうわけで、わたしは始終耳にしていたこの言い回しを記事のタイトル（Coming into the Country）にすることに、本文を書き始める前から決めていました。めったにない幸運でしたよ。タイトルを選ぶのは、普通はとても難しいものです。

＊

ウッディ・アレンは『ニューヨーカー』誌の記事を三、四十本は書いている。最初の作品は、担当編集者のロジャー・エンジェルからジョーク過剰と評された。一つひとつのジョークは滑稽でも、たび重なれば効果が薄れるという。いくつかを省けば、もっとユーモアの利いた作品になると思います、というわけだった。

彫刻家は、素材のカットという同様の問題に彼らなりのやり方で取り組む。ミケランジェロ曰く「大理石が減れば減るほど、像は大きくなる」。またミケランジェロは「石の塊一つひとつすべての中に像がある。彫刻家の仕事はそれを見出すことだ」とも言っている。想像してみよう。六トンもあるカララ大理石の塊を前に、木槌や鉄槌、鑿《のみ》ややすりを手にしたミケランジェロが言っている。「わたしはね、ここにあっちゃいけないものを、どかしているだけですよ」

さて、ここでアーネスト・ヘミングウェイと氷山の一角について触れないわけにはいかない——世界でもっとも使い古された決まり文句から、批評理論がいかに作り出されたかを見ていこう。「もし散文作家が自身の書いていることを充分に知っていて、分っていることを省略したとすれば、作家がほんとに書いている限り、読者は作家が実際に書いたと同様に強い印象を受けるものだ。氷山の動きの持つ威厳は、水面に表われている八分の一によるものだ」（佐伯彰一訳）。この二つの文はノンフィクション『午後の死（*Death in the Afternoon*）』（一九三二年）〔『ヘミングウェイ全集』第五巻、佐伯彰一代表訳、三笠書房、一九七四年〕の中の一節である。フィクションにも同じことが言える。一九五八年、『パリ・レビュー』誌のインタビュー記事で、ヘミングウェイはジョージ・プリンプトンにこう語っている。「知っていることは何であれ省くことができるし、それは作者の氷山を立派にするだけです」。たとえば、と彼は続けた。「わたしはマカジキの交尾を見たことがあるし、それについて知っています。だから、それを省く。同じ海で五〇頭を超えるマッコウクジラの群れを見たことがあります。体長一八メートルほどもある一頭に銛《もり》を打ち込んだこともあるが、仕留められなかった。だから、それを省いた。あの漁村で教えてもらった話も、すべて省いています。だが、こうした知識こそ、氷山の水面下の部分をつくり上げているのです」

つまりこういうことだ。

自分がそれについて知っているのだと知っていれば、それは既知の既知。既知の未知があることも、わたしたちは知っている。つまり、わたしたちは自分が知らないことがあるということを知っている。だが、未知の未知もある――わたしたちは、自分がそれについて知らないということを知らないのだ。

なるほど、最近の国防総省の動きを見ると、ヘミングウェイの影響はどうやらこの役所にまで及んでいるようだ。

まあ、それはともかく、ヘミングウェイによる「省略の理論」は、書き手たちに「引っ込んでろ！読者に創作させるんだ」と告げているのだと、わたしは思う。たとえば、読者に秋の光景を思い浮かべてもらうには、トウモロコシの茢束、キジ、早霜など、ほんのひと言ふた言書けば十分だ。創造性豊かな作家は、章と章の間や章内の節と節の間に空白のスペースを置く。創造性豊かな読者は、空白スペースから文字になっていない思いを黙って読み取る。そんな経験を、読者にしてもらおうではないか。判断を、見る者の目に任せるのだ。何を省くか決めるとき、まずは書いている自分を省くのだ。テーマと読者の間をぴょんぴょん行ったり来たりする書き手には退場してもらおう。創造性豊かな読者にゆとりを与えよ。つまり、もっぱら書き手について語っているなら、その部分は省くべきである。

「創作ノンフィクション」という言葉を、このごろよく耳にするようになった。わたしが大学生だったころ、「創作」と「ノンフィクション」の二語を一緒に使う人がいたら、頭のおかしなやつか、さもなければコメディアンだと見られただろう。ところが、今日わたしは、「創作ノンフィクション」と銘打った講座で教えている。同じ大学で、である。講座に名前をつけるように言われたので、ある季刊誌で（当時ピッツバーグ大学にいたリー・グトキンドが編集・発行していた）この講座名を紹介した。明らかに、疑問を呈する名前であった。ノンフィクションのどこが創造的なのか。それに答えようとすればまるまる一学期が必要だが、要点を言えばこうだ――創造性はテーマ選びの中にある。また、記事をどう書くか、題材をどのように並べるか、人物描写のスキルや手法、取り上げた人びとを登場人物としていかに成長させるか、文体のリズム、記事の全体性と骨格（立ち上がって歩き回れるような骨格か）、手元の素材の中にある物語をどこまで読み取り、語ることができるか、などといったことにある。創作ノンフィクションとは何か作り話をすることではなく、自分の持っているものをフルに活用することである。

＊

『タイム』で働いていたとき、ようやく「ミセレニー」欄から解放されたわたしは、それから五年間というもの、雑誌の後ろのほうに載る「ショー・ビジネス」欄を担当した。九〇〇語ほどの記事を三、四篇ほど集めた欄だ。わたしが書き終えた原稿は、エアシュート・システム〔施設内に配置した輸送パイプの中に荷物を入れ、空圧を利用して相手に届ける設備〕で各部署に運ばれた。その原稿を次に目にするときには、承認を示す編集主任のイニシャルが記され、おまけに彼（そう、彼だ）による修正も入っていた。そこで、その原稿を手に自室を出て、編集主任のオフィスに行き、やんわりと抗議する。そこで原稿は改訂されるかもしれない。その後、原稿は編集長のもとへ送られる。編集長は、いつもではないにしろ、たいていはすんなりと、編集主任のイニシャルのそばに、自分のイニシャルをサインしてくれる。二人のイニシャルがそろうと、原稿は割り付け部と呼ばれる部署に送られる。割り付け部の人たちは、生け花の専門家としても通用しただろう。というのも、当時の『タイム』は、ライバルの『ニューズウィーク』と違って、初めから記事の長さを指定せず、原稿が書き上がるのを待ってから、割り付けを始めていたのだ。

四日間で記事の準備をし、原稿を書く。四日目の夜はいつもほとんど徹夜だった。編集長と担当編集主任から要請や要求、すばらしい助言や理解不能な提案を受けながら、なんとか記事を書き直すと、もう五日目となる。つまり、割り付け部からゲラ刷りが戻ってくる日である。このゲラには「グリーン5」とか「グリーン8」、あるいは「グリーン15」などというメモが記されている。本文からその数の行を削れという指示である。削らないと、記事は誌面に入りきらないのだった。省略部分の指定にはグリーンの鉛筆を使うことになっていたが、それは省いた部分を、万が一にも戻す場合、グリーンで指定されていればわかりやすいからだった。ただし、そんなことは、わたしの記憶にある限り一度もなかった。

記者は呻《うめ》こうとわめこうと、とにかく書いた記事全部に「グリーン入れ」をしなければならなかった。「グリーン入れ」は、それ自体が特技だった。目の前に自分が書き上げ、編集から承認を受けた作品がある。この「完成品」をよく見て、どこを削れるかを考えるのだ。一方『ニューヨーカー』誌の割り付け部から、誌面に収めるために数行削ってくれないかと頼まれたことは、この五〇年間に一度しかない。『ニューヨーカー』誌は融通が利いた。誌面の都合で入れても省いてもよいイラストや漫画や詩を随所に載せたからだ。また、書いた記事は、たとえ一、二週間、あるいは六カ月待つことになっても、いつか必ず掲載された。それなのに、わたしは「グリーン入れ」とは縁が切れていない。四〇年間というもの、大学の執筆教室で学生たちに「グリーン3」とか「グリーン4」とかのマークを付けた記事を九〜一〇本ほども読ませ、「グリーン入れ」をさせてきたからである。

「グリーン4」と指示があっても、記事の最後の四行を削ればいいってもんじゃない、とわたしは学生たちに説く。ここは何か省かれているなと、読者が感じないように言葉を削ることが肝心だ。執筆者によって、これがやりやすい文もあればそうでない文もある。「グリーン入れ」は、貨物列車の車両を、ここで一両、あちらで一両と外して列車の長さを調節するようなものだ。あるいは、木の刈り込みにも似ている。刈り込みとは、木の大きさの調整だけでなく、見た目の美しさや植物病理学上の理由を考えて行うものである。執筆者の論調や流儀、特質や様式、あるいは執筆者が残した指紋を台無しにしてはいけない。省こうとしている各部分を全体的にとらえ、再フォーマットした場合に何行減らせるかを数えなければならない。たとえば、「ウィドウ」と呼ばれる末尾孤立行〔段落の最後の短い一行、あるいは一語が、次の段落、またはページに送られ、段落全体から離れてしまうこと。「ウィドウ」には「寡婦」の意味もある〕をなんとか始末すれば、一行まるまる使えることになる。

学生たちには、例題としてジョゼフ・コンラッドの三二行を課題に出す。「あの河をさかのぼるのは、世界の一番初めの時代へ戻るのに似ていた。地上で植物が氾濫し、巨大な樹木が王者として君臨していた時代のことだ」〔『闇の奥』黒原敏行訳、光文社、二〇〇九年〕から始まるところだ。これはグリーン3。できたら見事だ。トーマス・マッゲインのターポンに寄せる歌も、やってごらん（二〇行、グリーン3）。アーヴィング・ストーンの情熱的な愛の宣言の九行はグリーン1だ。さらに、フィリップ・ロスの作品に登場する小説家ローノフが、執筆過程のメトロノーム的な退屈さを、メトロノーム的に規則正しい繰り返しを含む文で綴る二五行はグリーン3だ（ぜひ、読者にもやってみていただきたい）。また、学生たちには、この講座で自分が書いた最初の三作を読み返し、そのなかの一つを選んで、その一〇パーセントをグリーンで囲むという課題も出す。さらに、ゲティスバーグ演説の全文にも取り組ませる（二五行、グリーン3）。すでに暗記し、慣れ親しんでいるこの演説にグリーンを入れるのは難しいが、やってできないものではない。たとえば、第九文の後半と第一〇文の前半にグリーンを入れ、第九文の前半のすぐ後ろに第一〇文の長い後半をもってくると、次のようになる。

第九文　むしろ、生きているわれわれなのである

第一〇文　未完の偉大な事業にここで身を捧げるべきは……

ここで削られたのは二四語で、これは簡潔なことで知られるリンカーンの演説の九パーセントに相当する。

『タイム』で、また『ニューヨーカー』でも長い間、同僚として一緒に働いたカルヴァン・トリリンは、『ニューヨーカー』誌のウェブサイトの一文で「グリーン入れ」の思い出を語り、その教訓についてこう述べている。

わたしは言葉遊びを面白いと思ったことはない。クロスワードパズルも、単語を作って得点を競うスクラブルもしたことがない。だが、「グリーン入れ」はとことん面白いパズルだと思った。驚いたことに、きっちり組み立てたつもりの七〇行の文は（実際、入れたいと思ったことも省き、ぎりぎりまで削ったはずの記事だったが）、その一〇パーセントにグリーンが入っても、無傷どころか、かえって磨きがかかるのだった。わたしが『タイム』編集室で「グリーン入れ」をして納得したのは、自分が書いたどんな原稿も、提出できると思えたら、鏡を見て「グリーン8」とか「グリーン14」とかを自分に厳しく言い渡せば、記事はもっとよくなるということだ。いずれそのうち、これをやり始めようと思っている。

*

アーロン・シェキーは、ウィスコンシン州デーン郡出身のアプリ・デザイナーで、ロックの作曲もし、バンドリーダーもしている。仕事場はミネアポリスだが、少年時代を過ごしたマディソン市の印象的なシルエットに深い郷愁を抱いている。マディソンは、小さくはない二つの氷河湖に挟まれた氷堆石地峡の上に立つ、この州の州都だ。中心部のホテルやオフィスビルや集合住宅は、どれも高さは一九〇フィートに満たないが、この高さなりのスカイラインを作り出している。これについてシェルキーは自身のウェブサイトに「何を省くか」というタイトルで短いエッセーを載せ、こう説明している——すべての建造物を圧してただ一つそびえ立つのは、ウィスコンシン州議会議事堂のドームである。エル・グレコの描いたトレド市を思わせる風景だが、グレコ流の誇張はここにない。威風堂々としたそのたたずまいはモン・サン・ミッシェルにも匹敵する。なぜこうした景色が生まれたのか。議事堂が建設された一九一五年、マディソン市が条例で、ドームの基部および議事堂ファサードのコリント式列柱よりも高い建物を、今後は建ててはならないと決めたからだ。それ以降、特例許可は一度も出されていない。湖越しに見える光景はすばらしい。音楽家でもあるシェルキーは、映画『あの頃ペニー・レインと（*Almost Famous*）』の台詞を引用してこう述べている。「問題は何を入れるかじゃない、何を入れないかだ。……そう、それがロックだ」

批評家ハロルド・ブルームは、シェイクスピアについてこう書いている。「彼の作品の中では、実際に書かれていることよりも、省かれたことのほうが徐々に重要になっていく。こうしてシェイクスピアは、文学にその限界を超えさせるのだ」

＊

わたしが大学二年のときのことだ。あと数日でクリスマスという日に、ルイ・マークスというルームメイトの家を訪ねてニューヨークのスカースデールに行った。ルイ・マークスの父親——名前は同じくルイ・マークス——とおじのデイヴィッド・マークスは一九二〇年代にルイ・マークス・アンド・カンパニーという玩具メーカーを設立していた。五〇年代の当時、この会社は「世界最大の玩具会社だ。ライオネルとギルバートを一緒にしたより大きい」と、ルイ父はうれしそうによく言っていた。A・C・ギルバート社の組み立て玩具エレクター・セットを屋根裏いっぱいに広げ、ライオネル社のOゲージ流線型列車を走らせて育ったわたしは、大いに感銘を受けたものだった。スカースデールのマークス家に時々やってくる訪問客にも、わたしは感銘を受けた。たとえば、オマール・ブラッドレー元帥や、カーティス・ルメイ空軍大将、ウォルター・ベデル・スミス大将といった大物たちだ。ほんの五年前に終わった第二次世界大戦で、五つ星（元帥）のオマール・ブラッドレーはドイツ侵攻作戦を指揮し、四つ星（将軍）のウォルター・ベデル・スミスは連合国遠征軍最高司令部の参謀長を務め、同じく四つ星のカーティス・ルメイは対日爆撃作戦を指揮したのだった。マークス社は創意溢れるゼンマイ仕掛けの玩具を作っていた。ブリキ製の小さな戦車や消防車や船や、全長三六センチのGマン追跡車などだ。製品にはどれもMARの文字に大きなXを組み合わせたロゴマークが付いていた。息子のルイと同じく、父親のほうのルイも気の利いたジョークをよく飛ばした。マークス氏の話は、ただ聞いているだけで楽しかった。あの日、わたしはルイの家を訪ねてからニューヨーク市内に行く用事があった。これを聞いたマークス氏は、ちょうど自分も市内に行くところだから、一緒に乗っていきなさいと言ってくれた。こうしてわたしは同世代の仲間（わたしはルームメイトの姉妹と付き合っていた）と別行動をとり、彼らの父親と継母と一緒に運転手付きのリンカーン・タウンカーに乗り込んだのだった。

さて、今わたしはこんな状況に置かれている——記事を書くという仕事の過程について、とりわけ省略の原理について集中的に取り上げる一章の中で、三分の二世紀前に経験したニューヨークまでのドライブを再現しようというのだ。わたしは、玩具王国に君臨する王と女王と一緒に車に乗っていた。この夫妻の友だちといえば、ほんの数年前にヨーロッパ各地で米軍の侵攻作戦を指揮した人たちだ。これは省くべきだろうか。さあ、どうしよう。ある日、ランチに遅れてやってきたスミス将軍が（胃洗浄を受けた直後で）青い顔をしていたことは、省くべきだろうか。自分が書いている（読んでいるのではなく）文なのに、何を残し、なにを省いたらいいのかわからない。マークス氏が「わが社はライオネルとギルバートの二社を一緒にしたより大きい」と豪語したことはどうする？　省いてしまおうか。わたしは一度、マークス氏がカーペットを敷き詰めた床にステーキ肉を放り投げるのを見たことがある。飼い犬のブルドッグに食べさせるためだ。これは文中に入れる価値があるだろうか。省くべきか。そんなことを書けば遺族はどう感じるだろう。数年前、マークス氏の曾孫に当たる女子学生が、わたしが教える大学の執筆教室を受講した。苗字はマークスではなくバーネット、二年生だった。わたしはこの学生のことは知らなかったし、昔のルームメイトの姉妹の孫娘がプリンストンにいることも聞いていなかったが、受講申込書の冒頭に「マクフィー先生は、わたしの祖母にファーストキスをした方です」と書いてあったのだ。これは省くべきだろうか。一方、マークス夫人——名前はアイデラ、わたしのルームメイトの継母——は、当時プリンストンの二年生だったわたしたちの間では、ストリップダンサーのリリ・セント・シアの姉妹だと噂されていた。リリ・セント・シアの名を、二十一世紀の今、どれだけの人が知っているだろうか。だから、これは省くほうがいい。アイデラもダンサーだったが、これも書かないほうがいいだろうか。こうした一連の選択は、何を取り除くかではなく、何を書かないでおくかである。執筆は選択なのだ。

運転席と座席の間にはガラスの仕切りがあり、わたしたちの会話が漏れないようになっていた。この運転手は新米なんだ、とマークス氏は言った。運転手はせいぜい半年しかもたん。初めの二カ月は仕事を覚えようとする。次の二カ月はよく働いて役に立つ。それから、盗みが始まるんだよ。二カ月後にはクビにしなくちゃならん、と――まったく、こんな話、記事の内容とどんな関係があるのか。車はハッチンソン・リヴァー・パークウェイから西へ折れてクロス・カウンティ・パークウェイを通り、南に向かいソー・ミル、ヘンリー・ハドソン・パークウェイを進み、一二五丁目で市内へ入った、と思うとすぐにモーニングサイド・ドライブ六〇で止まる。その瞬間まで、マークス夫妻が市内のどこに行くのか、わたしはまったく知らなかった。建物の前でマークス氏はわたしに、これから地下鉄でダウンタウンに向かう前に、アイゼンハワー元帥にちょっと会っていかないかと言った。

ここはコロンビア大学の学長公舎（プレジデントハウス）で、その名のとおり「プレジデント（大統領）」になるアイゼンハワーが住んでいるのだった。中に入ると、高い天井の下に大きなクリスマスツリーが輝き、家族があちこち歩き回っていた。みんなの紹介が済むと、マークス氏とアイゼンハワー元帥はエレベーターで最上階の六階にあるアトリエに向かった。どうやらマークス氏がここに来たのは、元帥の作品から一点を選ぶためだったらしい。元帥はクリスマスプレゼントとして、マークス氏に作品を贈呈すると言ってくれたという。マークス夫人はアイゼンハワー夫人と階下にとどまることになった。きみも一緒に、とマークス氏と元帥に言われたので、三人でアトリエへ上がっていった。広々とした、自然光がたっぷり入る屋根裏部屋だった。マークス氏が選べるようにと、アイゼンハワーは仕上げた作品を五、六点ほど並べてあった。その近く、部屋の中央のイーゼルには、目下制作中の静物画がかかっている。題材は赤いチェックのクロスのかかった四角いテーブルと鉢に盛られた果物だ――リンゴとプラムとナシ、それを覆うブドウの大きな房。並んだ数点の絵を見て回ったところでマークス氏は、ちょっとトイレへと言い出し、階下にあるよ、と元帥に言われてエレベーターの中に消えてしまった（結局は、兵場越しに見える米陸軍士官学校の建物群を描いた大きな油絵を、抜け目なく選んだのだが)。

こうして、わたしはアトリエでアイゼンハワー元帥と二人きりになった。いったい、何を話せばいいんだろう。一つひとつ増えていった星が五つも並ぶ肩章を前に、こちらは十九歳の大学生だ。いや、むしろこれは元帥が考えなければならない問題だった。だが、元帥にとっては問題でも何でもなかったようで、すぐに赤いチェックのテーブルクロスとフルーツ鉢のことを話し始めた——自分が若いころ過ごしたカンザス州アベリーンの世界は、ちょうどこんなテーブルクロスに象徴される。だから、いま取りかかっているこの絵には、特別な思い入れがあるんだ、と。筆はだいぶ進んでいた。巧みに描かれたリンゴ、プラム、ナシにハイライトが当たっている。それまでひと言も口を利けなかったわたしは、ついに質問することを見つけた。絵はほとんど完成に近いのに、ブドウは描かれていない。

わたし「ブドウを残されたのはなぜですか」

元帥「描くのがクソ難しいからさ」

訳者あとがき

本書はJohn McPhee, *Draft No. 4* (Farrar, Straus and Giroux, 2017) の全訳である。

カバーの著者紹介にもあるとおり、ジョン・マクフィー氏は現代創作ノンフィクションの草分けとして知られるアメリカの作家である。一九六〇年代から『タイム』誌や『ニューヨーカー』誌のスタッフライター（ご本人によれば、これは無給フリーランス記者の婉曲表現）として、実に半世紀以上にわたって執筆活動を続けている。七〇年代半ばからプリンストン大学の執筆講座で教鞭を執り、多くの優れたノンフィクション作家を育ててきた。

マクフィー氏の著作リストを見て、まず感銘を受けるのは、作品数の多さもさることながら、テーマの多様さである。ピュリツァー賞（一九九九年）に輝いた*Annals of the Former World*は北米大陸の地質をめぐる科学書と言えよう。また、邦訳もされて好評を得た『アラスカ原野行』（越智道雄訳、平河出版社、一九八八年）や『バークカヌーは生き残った』（中川美和子訳、白水社、一九九五年）などの一連の作品では、時代に先駆けてエコロジー問題を取り上げた。タンクローリーの助手席に乗っての北米大陸横断やおんぼろ商船で太平洋を航行した旅行記もあれば、有名無名を問わず人物プロフィールは数知れず、スポーツ、芸術、文学、教育、芸能など、ありとあらゆるテーマを取り上げて自由自在に話題を広げ、ウィットに富み、深い洞察力溢れる作品を生み出すマクフィー氏の筆力には、ただただ感服するほかはない。どのようにして筆を進めるのだろうか——その過程を具体的に語る八篇のエッセイが、本書に収められている。

テーマ探しについて、著者はこう言っている。「ノンフィクションのためのアイディアは絶えず流れる川のようなものだ。流れの中から一つのアイディアをすくい上げ、記事に仕立て上げるのに、一カ月か一〇カ月、あるいは何年もかかるかもしれない」。だが、ちょっとしたひらめきや思いがけない出会いが、新しい作品の誕生につながることもある。そんないくつかのラッキーな出来事が本書の冒頭の章で紹介されている。

いったんテーマが決まり、必要な資料を完璧にそろえたはいいが、「どこから、どうやって書き出せばいいのか、まったく見当もつかない」こともあるだろう。著者はそんな苦境に陥った経験を語り、「どんな記事を書くときも、まず初めに構成を考える」ことが重要だと説く。ノンフィクションの骨組みを考えるのは、調理の前にこれから使う食材を並べてみるようなものだという。つまり、そこにあるものしか使えないのである。目の前にある事実の集合体をいかに並べて「読める」記事に仕立てるかを、著者はいくつかの自著を例にとりながら図入りで詳細に解き明かす。マクフィー氏が創作ノンフィクションの名文家と呼ばれる理由がここにある。

そこにある事実しか使えないノンフィクションの、どこに創作の要素が入り込む余地があるのか。これについて著者はこう語っている——「創造性はテーマ選びの中にある。また、記事をどう書くか、題材をどのように並べるか、人物描写のスキルや手法、取り上げた人びとを登場人物としていかに成長させるか、文体のリズム、記事の全体性と骨格（立ち上がって歩き回れるような骨格か）、手元の素材の中にある物語をどこまで読み取り、語ることができるか、などといったことにある」と。かくして、定評ある『ニューヨーカー』誌の名物編集長をうならせた数々の記事が編み出されたわけである。

テーマが決まり、構成図を描けば、あとは書くだけだ——とはいっても、筆はすんなりとは運ばない。書き始めは誰でも不安と恐怖の世界に放り込まれるもので、「第一稿の筆の進み方はのろく、ぎこちない」。ところが、無我夢中で何とかひねり出した第一稿に手を入れるうちに、作家の心理状態は変化する。第二稿を書き終えるころには、一応の手応えを感じ始めるという。書いたものを声に出して読み、語句の一つひとつを検討しながら稿を改め、やがて第四稿を仕上げれば一区切りである（原著のタイトル *Draft No. 4* は第四稿のことである）。著者はこの推敲の作業が「楽しくて仕方がない」ようで、「執筆の過程のエッセンスは書き直しにある」とまで言っている。

こうして推敲を重ねた記事原稿も、実際に印刷されるまでは紆余曲折を経ることが多い。というのも、執筆者の手を離れた原稿は編集者や校閲者ら「疑うことを職業とする一団」に委ねられるからである。原稿の一語一語を確認し、そこに書かれていることの裏づけを取ろうと、ぎりぎりの努力を続ける雑誌編集者の仕事ぶりは感動的でさえある。今日でも『ニューヨーカー』誌は、ゲラの段階で何回もあらゆる角度から読まれたうえで発行されるという。

なかでも興味深いのは、著者が描く往時のアメリカ出版界、とくに雑誌の世界である。そこでは実に個性的な人たちが活躍していた。一九五〇年代から三〇年あまり『ニューヨーカー』誌に編集長として君臨し、事実重視の編集方針を定着させて、長編ノンフィクション記者の育成に力を入れたウィリアム・ショーンは、かなりの変わり者であったようだ。口の悪い連中に「頑固なネズミ」などと呼ばれることもあった（が、卑語の使用はもとより、ときには下着の広告掲載さえ禁止して、雑誌の品位を守り抜いた）。後任のゴトリーブ編集長もまた、尊敬すべき変わり者であったという。また、記事原稿を読み、語の用法から言葉遣い、くどい言い回し、語の選択、句読点、曖昧さまで、疑わしいと感じたことを何から何まで容赦なく指摘して、「執筆者をしゃんとさせる」力を持つ伝説的な校閲者のエピソードも印象的である。

どんなテーマであれ縦横無碍に筆を走らせ、読者を作品の世界に引き込んでしまうマクフィー氏の作品は、とにかく読んでいて面白い。ときにユーモラス、ときに辛辣で、行間から著者のいたずらっぽい笑顔がのぞいてくるような記事の魅力を、邦訳でどれだけお伝えできただろうか。微力ながら訳出には全力で取り組んだが、至らないところや思わぬ誤りがあると思う。読者のご寛容をお願いしたい。なお、訳文中の固有名詞の仮名表記は、原則として著者による朗読本の発音に従った。

また、原書テキストについての一翻訳者の問い合わせに快く応じてくださったマクフィー氏に、この場を借りてお礼を申し上げたい。マクフィー氏の丁寧な解説からは、一語たりともおろそかにしない姿勢が感じられた。そのほんの一例として、「取材」の章で「砂粒の法医学的研究」と訳されている exoscopic study of sand という語についての説明を挙げたい。これは、たった一粒の砂からその産地を突き止める技術のことで、それを開発したフランス人地質学者が自らこう命名したという。マクフィー氏は、これに関するエピソードが載っている著作（作品集 *Irons in the Fire* の中の一篇）の該当部分をコピーして送ってくださった。ご親切に深く感謝するとともに、当の作品を読んでいなかったわが身の勉強不足を深く反省した次第である。

訳出作業を進めながら、練り上げられたノンフィクションの味わい深さをあらためて実感することができた。本書を通して、マクフィー氏の筆の魅力を——そのほんの一部しかお伝えできなかったかもしれないが――一人でも多くの方に味わっていただければと願っている。

最後になりますが、本書を翻訳する機会を与えてくださった白水社の阿部唯史氏には、終始お世話になり、訳文について数々の貴重なご助言をいただきました。心から深く感謝申し上げます。

二〇二〇年一月

栗原　泉

引用文献

*邦訳書のみ、掲載順。

ジョン・マクフィー『森からの使者』竹内和世訳、東京書籍、一九九三年
――『アラスカ原野行』越智道雄訳、平河出版社、一九八八年
――『バークカヌーは生き残った』中川美和子訳、白水社、一九九五年
アリス・マンロー『木星の月』横山和子訳、中央公論社、一九九七年
ヴァージニア・ウルフ『自分だけの部屋』川本静子訳、みすず書房、一九八八年
ボブ・ウッドワード『司令官たち』石山鈴子・染田屋茂訳、文藝春秋、一九九一年
シェイクスピア『ハムレット』福田恆存訳、新潮社、一九六七年
ロバート・ライト『三人の「科学者」と「神」』野村美紀子訳、どうぶつ社、一九九〇年
アーネスト・ヘミングウェイ『午後の死』佐伯彰一訳、『ヘミングウェイ全集』第五巻所収、三笠書房、一九七四年
コンラッド『闇の奥』黒原敏行訳、光文社、二〇〇九年

著者略歴

ジョン・マクフィー

John McPhee

文筆家。創作ノンフィクションの草分け、名文家として広く知られる。1931年、米国ニュージャージー州生まれ。プリンストン大学卒業後、『タイム』記者を経て、『ニューヨーカー』のスタッフライターに。以来、長年にわたって同誌に寄稿している。ピュリツァー賞に4回ノミネートされ、1999年に受賞（一般ノンフィクション部門）。2017年には、長きにわたる出版文化への顕著な功績が認められ、イヴァン・サンドロフ功労賞（全米批評家協会）が授与された。現在も執筆のかたわら、プリンストン大学で教鞭を執る。著書多数。邦訳書に『アラスカ原野行』（平河出版社）、『森からの使者』（東京書籍）、『バークカヌーは生き残った』（白水社）、『ボイドン校長物語』（ナカニシヤ出版）などがある。

Draft No.4
On the Writing Process

訳者略歴

栗原 泉

（くりはら・いずみ）

翻訳家。主な訳書に、レスリー・T・チャン『現代中国女工哀史』、ピーター・ヘスラー『疾走中国』『北京の胡同』、マージョリー・シェファー『胡椒 暴虐の世界史』、ハワード・W・フレンチ『中国第二の大陸 アフリカ』（以上、白水社）、サラ・ワイズ『塗りつぶされた町』（紀伊國屋書店）、ジョゼフ・ギースほか『中世ヨーロッパの結婚と家族』『大聖堂・製鉄・水車』（以上、講談社学術文庫）、デボラ・L・ロード『キレイならいいのか』（亜紀書房）などがある。

ピュリツァー賞作家が明かす
ノンフィクションの技法

二〇二〇年二月一〇日 印刷
二〇二〇年三月 五 日 発行

著 者 ジョン・マクフィー
訳 者 © 栗原泉
装 幀 谷中英之
組 版 閏月社
発行者 及川直志
印刷所 株式会社 三陽社
発行所 株式会社 白水社

東京都千代田区神田小川町三の二四
電話 営業部〇三（三二九一）七八一一
編集部〇三（三二九一）七八二一
振替 〇〇一九〇 - 五 - 三三二二八
郵便番号 一〇一 - 〇〇五二
www.hakusuisha.co.jp

乱丁・落丁本は、送料小社負担にてお取り替えいたします。

誠製本株式会社

ISBN978-4-560-09749-6

Printed in Japan